Si usted desea estar informado de nuestras publicaciones, sírvase remitirnos su nombre y dirección, o simplemente su tarjeta de visita, indicándonos los temas que sean de su interés.

Ediciones Martínez Roca, S. A.
Dep. Información Bibliográfica
Enric Granados, 84 08008 Barcelona

Manual de instrucciones para el planeta Tierra

NUEVA ESPIRITUALIDAD

D. Trinidad Hunt

Manual de instrucciones
para el planeta Tierra

Ediciones Martínez Roca, S. A.

Traducción de: Joan Josep Mussarra

Diseño cubierta: Geest/Høverstad

Título original: *The Operator's Manual for Planet Earth*

© 1996 by D. Trinidad Hunt
© 1998, Ediciones Martínez Roca, S. A.
Enric Granados, 84, 08008 Barcelona
ISBN 84-270-2285-9
Depósito legal B. 749-1998
Fotocomposición de Fort, S. A., Rosselló, 33, 08029 Barcelona
Impreso por Liberduplex, S. L., Constitució, 19, 08014 Barcelona

Impreso en España – Printed in Spain

Este libro
está dedicado a
todos los padres
de la Tierra.
Que con su comprensión
hagan un mundo mejor
para ellos mismos
y para sus hijos

•

Y a todos
los niños
de la Tierra

•

Que vuestro viaje por la vida
sea la sagrada aventura
que debe ser

A mi madre y a mi padre,
que con sus enseñanzas y consejos
me dieron coraje
durante mis primeros años.
No olvido vuestro amor.

•

Gracias

ÍNDICE

AGRADECIMIENTOS

Empecé a escribir este libro en la cumbre de una montaña, pero no lo terminé allí. Lo terminé en el corazón de una ciudad, en medio del habitual bullicio. Varias personas hicieron posible el milagro de su creación. Este libro, traído por las alas del amor, recibió el apoyo, en corazón y pensamiento, de amigos y familiares que nos animaron en las diferentes etapas de su redacción.

Le doy las gracias a esa familia de sesenta personas que integra el Hawaii Business Equipment. Vuestro espíritu permanece entre estas páginas, por todas vuestras contribuciones, grandes y pequeñas, que permitieron que tuviera tiempo para escribirlo.

A nuestro querido amigo Renee Gomes. Las cincuenta páginas originales de este libro se escribieron en tu cabaña. Gracias por tu compromiso para con nuestra visión y por los inacabables pequeños detalles con que ayudaste a satisfacer todas nuestras necesidades.

Gracias a Michelle Jerin. Tu apoyo en las primeras etapas de la edición de este libro, y tu fe en su mensaje, nos dieron coraje para seguir adelante.

A Betsy Bowen por su ayuda con el manuscrito original y a Rolinda y Lovell Harris, Jackie Taylor y Jocelyn Pratt, el equipo para quien se fundó la Academia Élan. Gracias por el papel que habéis representado en nuestra vida.

Gracias a la gente del Kona Surf. Siempre os esforzasteis

para que pudiéramos contar con un lugar especial donde escribir. Y especialmente, gracias a Craig Neddersen, Mary Villaverde y Kalili Murayama por todo lo que hicisteis para que nuestra visita fuera perfecta.

A nuestro querido amigo, agente e investigador literario, Chandler Crawford, quien anduvo con nosotros por las páginas del destino. Gracias a todos por vuestra dedicación personal. Nuestro amor por vosotros es inconmensurable y trasciende al tiempo. Carol Fredrick, gracias por habernos apoyado en todas las etapas de la creación de esta obra. Gracias, Peter, por habernos ayudado a hacer posible este libro en Maui. Y gracias a ti, Fred. No olvidamos tu apoyo infatigable.

A mi querido editor, Lauren Marino, sin cuya ayuda esta obra no habría llegado a ser lo que es. Gracias, Lauren. Con tu ayuda y tus consejos, los matices más sutiles de este mensaje han llegado a expresarse. Gracias a Laurie Abkemeier, que fuiste la segunda madre de este libro y nos quisiste y ayudaste mientras lo preparábamos. Un agradecimiento especial para nuestro equipo de apoyo de Hyperion —Bob Miller, Brian De-Fiore, Lisa Kitei y Karen Gerwin-Stoopack—, quienes estuvieron atentos a los más nimios detalles de la producción. Y gracias a todos los colaboradores anónimos de Hyperion que ayudasteis a que este libro pudiera publicarse.

También damos las gracias a nuestra familia canadiense: a Pat, a Juoy y al tío Moe, quienes nos ayudaron en todo cuando tuve que retirarme y escribir mientras viajaba por Canadá.

Gracias a Jacque Parkinson, que cuidó de nuestras necesidades físicas durante las últimas y febriles etapas del trabajo de edición.

A Jamie Oshiro, Sheryl Sakuma, Colleen Manke-Davis, Lester Higa, Diane Takushi, Sandy y Bill McRoberts, Stephanie y Chiyoko Mew, y Faith Geronimo, y a todos los demás que intervinisteis durante los últimos días. Gracias por vuestro coraje y por vuestro firme compromiso con la visión de un mundo nuevo para nuestros hijos y los hijos de nuestros hijos.

A Michelle Noelani y a la interminable lista de amigos y familiares cuyo amor y apoyo hemos sentido a lo largo de los años. Gracias por todas las llamadas de teléfono, todas las palabras de ánimo y todas las notas. Quiero que sepáis que vuestros afectuosos detalles nos nutrieron y nos sostuvieron durante la creación de esta obra.

Y estoy muy especialmente agradecida a mi abuela, quien sembró en mí la simiente de esta enseñanza poco después de su muerte.

Y finalmente, a la otra persona que integra conmigo el «nosotros» tan repetido en estos agradecimientos. A ti, Lynne Truair, por haber controlado el otro 70 % de nuestra empresa, por haber rellenado todos los huecos y por ser quien eres. Este libro comparte tu espíritu y el de tu obra. Que su mensaje pueda llegar a todos los extremos del mundo y que infunda luz, esperanza y un nuevo propósito vital allí donde vaya.

PRÓLOGO

Los alumnos de Rhea estaban preocupados. El mundo parecía muy inseguro. Con el terrorismo en Europa y Oriente Medio, el hambre en África y luego los disturbios civiles en el continente norteamericano, los jóvenes de todas partes se sentían amenazados.

La ansiedad llamaba a la puerta en forma de SIDA, bandas callejeras y drogas. Ni los padres ni los maestros podían apaciguar por completo sus propios miedos, porque los mismos niños tenían que tomar decisiones propias de adultos. Los alumnos expresaban de muchas maneras su inseguridad: algunos exhibían claros signos de retraimiento o de apatía; además, un 10 % amplio de su clase mostraba síntomas de atención deficitaria.

Rhea sufría por las desgracias del mundo, pero aún sufría más por las desgracias de los niños. Sabía que éstos se estaban preguntando qué lugar ocupaban en el mundo, e incluso si ocupaban alguno. Debía luchar cada día con la cuestión del significado de las cosas. ¿Cómo podía ayudar a sus alumnos a hallar certezas en un mundo incierto?

Rhea tenía un sueño recurrente. Se veía a sí misma de pie, sola, en una habitación. Justo delante de ella, había una ventana oculta por una cortina. De súbito, la cortina se abría. Una mujer tomaba forma en la niebla que se arremolinaba tras la ventana. Era alta, bellamente proporcionada, y tenía los ojos oscuros y largo cabello castaño que le caía sobre los hombros. Vestía una túni-

ca de color marfil que llegaba hasta el suelo, y Rhea se sentía conmovida al instante por su aura de paz. La mujer llevaba en la mano lo que parecía ser una roca. Ante los ojos de Rhea, la roca se partía y una piedra caía rodando de su interior. Quedaba quieta en el suelo, a un metro de la ventana, y entonces, Rhea veía la frase PROPÓSITO VITAL escrita en ella.

La luz que brillaba en los ojos de la mujer se teñía de ternura. «En la vida de nuestros niños, falta un propósito vital», decía. Entonces se esfumaba y se disolvía lentamente en la niebla.

Al instante, la escena cambiaba, y también la energía. Ahora había una habitación al otro lado de la ventana. Veía personas en la estancia, que metódicamente, una tras otra, se estaban poniendo trajes espaciales. Finalmente, la habitación que estaba tras la ventana y la propia ventana desaparecían siempre, y Rhea se encontraba sola, de pie en su propio cuarto.

Había luces en su habitación: luces claras, refulgentes, flotantes, que parecían hermosas gemas de colores. Al cabo de poco, aparecerían cuerpos de formas y tamaños variados. Por un momento, los ojos les brillarían con extraordinario fulgor, y entonces las luces desaparecerían dentro de los cuerpos y los ojos se oscurecerían. Luego, sólo se podrían ver los cuerpos. Estaban vivos, animados, y andaban por la habitación charlando entre ellos.

Rhea tenía este sueño una noche tras otra y, una noche tras otra, despertaba empapada en sudor. Sabía que el propósito de la vida era la clave de todo, pero el mensaje no se agotaba ahí. ¿Cuál era el significado de todo aquello?

Un día, cuando Rhea ya no pudo ignorar más la ansiedad ni las miradas apáticas de los alumnos, se rompió algo en su interior. Abandonó su mesa y empezó un monólogo. Mientras hablaba, sus propias palabras le parecieron cada vez más inteligibles y se sorprendió de su propia espontaneidad. Parecía estar repitiendo lo que veía en su sueño recurrente.

—El cuerpo humano es como un traje espacial —dijo, tocándose los hombros para señalar su propio cuerpo—. Nos lo ponemos al llegar a la Tierra. —Bajó las manos y siguió hablando—. La única diferencia entre nuestro cuerpo y los trajes que se emplean en el espacio es que no estamos entrenados para utilizar el cuerpo.

Los alumnos estaban estupefactos. Rhea sabía reconocer la confusión en sus ojos. Los fue persuadiendo lenta y calculadamente.

—Al mismo tiempo que los trajes espaciales, los astronautas reciben una rigurosa formación para que aprendan a manejarlos. También se les da un manual de instrucciones junto con el traje, para que, si algo les sale mal, puedan arreglar el fallo y corregirlo.

»Dicho en otras palabras, venir a la Tierra es como hacer de astronauta —siguió diciendo—. Tenemos que ponernos un traje para vivir aquí.

Los alumnos aún estaban perplejos, pero ya no se mostraban distantes. Rhea sonrió y se le animó la voz.

—Nunca habéis visto a nadie andar por ahí sin cuerpo, ¿verdad? —Se oyó una risa nerviosa por toda la sala—. La única diferencia es que no nos dieron un manual ni nos instruyeron cuando recibimos nuestro cuerpo. Por eso, ya no captamos el propósito de la vida y hemos olvidado por qué estamos aquí. Si tuviéramos un manual, podríamos consultarlo cada vez que estuviéramos confusos con nuestra vida.

Tenía que penetrar en su falta de entusiasmo.

Acercándose más al grupo, insistió.

—¿No comprendéis lo que estoy tratando de deciros? —Hablaba con voz convincente y a la vez enfática—. Sois especiales —dijo—. Vinisteis aquí por algún motivo. Se os ha prestado el cuerpo que tenéis hasta que se acabe vuestra visita a la Tierra. Cuando os marchéis, tendréis que devolverlo.

El muro de apatía con que la miraban los alumnos empezaba a agrietarse.

—La vida no se debe al azar. No hay accidentes. Cada uno de vosotros está aquí por alguna razón.

»Tenemos una meta —prosiguió—. Existe un propósito vital que debe realizarse mientras nosotros estamos en la Tierra.

Rhea vio una luz en los ojos de sus muchachos. La reconocía. Era la misma luz que había visto entrar en los cuerpos de su sueño. Quizá, después de todo, pudiese ayudarlos, y al hacerlo, se ayudara también a sí misma.

1

Tras la Ventana del Tiempo

Élan entró en su dormitorio y cerró la puerta. Tras dejar el manual sobre su mesilla de noche, se acercó a la ventana y abrió la cortina. Las nubes se arremolinaban en brumosas volutas blancas que de vez en cuando se escindían y dejaban a la vista, por unos momentos, algún retazo de color azul. Se apoyó en el marco de la ventana y oprimió la frente contra el frío cristal para poder contemplar la vaporosa neblina. Era siempre igual, siempre impenetrable. Cómo habría deseado poder perforar el brumoso éter, aunque sólo fuera por un instante, y atisbar el mundo exterior. Rhea ya se hallaba en aquel otro mundo. Se había marchado varias ondas de nacimiento antes y Élan anhelaba verla.

«Pronto llegará mi turno de pasar por la ventana», pensó, y se apartó de la repisa. Se preguntaba cómo serían realmente las cosas al otro lado de la Ventana del Tiempo. Aun con todo lo que había aprendido en la sesión de instrucción de aquella mañana, apenas si empezaba a comprender las diferencias. A un lado había un mundo intemporal de luz y energía; al otro, uno de materia sólida. A un lado, un mundo de vibración donde el pensamiento viajaba a la velocidad de la luz. Al otro, uno de densidad donde todo ocurría en el tiempo y de acuerdo con una secuencia. Ambos mundos eran muy distintos.

Élan se sentó en el borde de la cama y agarró decididamente el costado del colchón. Juntando los dedos lo estrujó con fuerza para obtener la sensación de estar apretando algo. Observó pasmado como las venas de las muñecas se le hinchaban. Aquella experiencia de la materia densa era nueva para él. Hasta aquella mañana, jamás se había recubierto de un cuerpo, ni había experimentado el peso. Ahora, a causa del plan, estaba teniendo experiencia de ambos. Cerró con fuerza el puño y observó que, a medida que la tensión le subía por el brazo, le palidecían los nudillos. «Es asombroso», pensó. Tras soltar el colchón, levantó la mano derecha y observó su palma. Estaba cubierta de rayas y arrugas.

Entonces, vio de reojo el manual. Agarró el libro y lo levantó de la mesilla, y al instante sintió un cosquilleo por todo el brazo. Se tumbó, posando el libro sobre su pecho, y hundió la cabeza en la almohada, tratando de recordar lo que había oído del plan. Ni en sus sueños más descabellados habría podido tramar una estrategia mejor. La Tierra pasaba apuros y había que aplicar remedios drásticos.

Élan recordó cosas ya pasadas. En su ojo interior aparecieron imágenes de la mañana temprana. Estaba en la sala de instrucción, antes de que les contaran el plan. Nadie había recibido ningún cuerpo todavía. Aún eran pura luz... .

· · ·

—Bienvenidos a la Sala de Reuniones Planetaria. —La luz del Anciano Em centelleaba en el centro de la sala—. Estoy seguro de que todos os estaréis preguntando por qué se os ha dicho que vengáis aquí.

Élan había sentido curiosidad. El Anciano Em era miembro del Comité de Acogida Planetario de la Tierra, una corporación de entes responsable de conducir el despertar de la conciencia en el planeta. Durante miles de años, el Comité había trabajado para asistir a las almas en su desarrollo. Aquella reunión había sido convocada por uno de sus miembros; la agitación era tan desacostumbrada que debía de estar preparándose algo inusual.

El anciano prosiguió.

—Hemos llegado a este momento después de años de preparación. La Tierra corre peligro. Es preciso tomar medidas drásticas. En representación del Comité, os digo que no podemos permitir que otra generación de almas nazca sin intervención alguna. Nuestra meta es singular, nuestros proyectos han sido meditados. Así, hemos elaborado un nuevo y atrevido plan para la más rápida evolución de la conciencia en la Tierra.

Élan, perplejo, había escudriñado la energía presente en la sala. La presencia de Zendar era obvia, porque conectaban mentalmente. ¿Habían oído correctamente aquellas palabras? ¿Estaban implicados de verdad en aquel plan?

Puesto que el anciano seguía hablando, Élan volvió a prestar atención.

—El estadio inicial del plan consta de tres partes: el manual, el aprendizaje y las simulaciones.

Élan había observado con interés cómo la luz del anciano se desplazaba hasta delante de la clase. Llevaba toda una eternidad con aquel amado mentor. Les unía una tácita afinidad.

—Llevaremos a cabo el plan por etapas —prosiguió el anciano—. Empezaremos por la primera etapa, la presentación del manual de instrucciones del planeta Tierra.

Mientras el anciano decía estas palabras, una bella imagen holográfica se había materializado en el aire sobre ellos. Un libro de suave color turquesa, con luminosas letras plateadas en la cubierta, donde se leía:

*¿Qué significa
ser humano?*

«Así que éste es el manual del que hablaban.»

Élan dio un respingo, pues acababa de recordar una vívida escena anterior...

Corriendo apresuradamente por los corredores vacíos del complejo de instrucción, Élan había tropezado con dos de los ancianos, que estaban manteniendo una tranquila conversación. «El manual casi está preparado», cuchicheaba uno de ellos.

Sorprendidos por la repentina presencia de Élan, los ancianos vacilaron en seguir conversando y se marcharon.

En aquel momento había sentido extrañeza, pero luego, con las prisas, Élan lo había olvidado todo hasta aquel mismo instante. «Los ancianos parecían llevar un secreto entre manos», pensaba. Pero como les había oído en un momento de distracción, creyó que se referían a algún asunto ordinario. Ahora comprendía que el manual del que habían estado hablando era aquel. Se preguntó qué mensaje contendría.

—El manual encierra los secretos para llevar una vida buena en la Tierra —había dicho el Anciano Em, como para confirmar los pensamientos de Élan—. Dejadme que os lo explique.

Élan había seguido con atención las explicaciones del anciano.

—Hasta hace muy poco, el sistema de aprendizaje por prueba y error había sido empleado en la Tierra casi exclusivamente. Como el planeta fue creado en otro tiempo, se basa en este sistema de aprendizaje: «¡Si a la primera no lo consigues, sigue intentándolo una y otra vez!».

La luz del Anciano Em centelleó hacia Élan.

—Aunque válido, este método representa un extremo derroche de tiempo. Nuestra nueva propuesta es simple y directa: un método de instrucción, visualización y aplicación. —Hizo una pausa y observó la sala en silencio—. Como ya sabéis, pronto será la hora de vuestro nacimiento, y querréis recibir la mayor parte de la instrucción antes del inicio de vuestro viaje.

Nadie había contado con aquello. Todas las demás ondas de nacimiento habían partido hacia la Tierra sin recibir preparación de ningún tipo. La noticia despertó el interés de Ashley.

—¿Esta instrucción reemplazará el método de prueba y error?

—No del todo —le había respondido el Anciano Em—. Como ya sabes, siempre nos hemos referido al planeta Tierra como al planeta del libre albedrío. Como resultado de su política de libre albedrío, las almas del planeta Tierra pueden desarrollarse hasta el grado que deseen. Sin embargo, este nuevo programa servirá como método alternativo para los alumnos más dedicados.

El entusiasmo del Anciano Em era evidente. Al fin y al cabo, había sido miembro del comité propulsor del proyecto.

—Dará a las almas más resueltas una oportunidad para acelerar su desarrollo.

—¿Cuál será el método? —había preguntado Zendar, como en nombre de todo el grupo.

Élan sonrió para sí. Aprobaba el carácter inquisitivo de Zendar. Su amigo siempre sentía curiosidad y era tenaz en sus intentos por comprender el significado de las cosas. Su mismo nombre parecía representar esta cualidad, puesto que significaba reflexión profunda y coraje en la búsqueda de la verdad.

—Consta de tres sencillas etapas —le había respondido el Anciano Em—. Primera etapa... LECTURA de la primera parte del manual; segunda etapa... MEDITACIÓN de cada una de las lecciones, entregándola a la memoria. Tercera etapa... PRÁCTICA... estamos preparando una simulación de la Tierra donde podréis practicar lo que hayáis aprendido. Entonces repetiremos el ciclo: lectura, meditación y práctica, hasta que hayáis asimilado todas las lecciones.

El Anciano Em estaba satisfecho con la posibilidad de poner a prueba finalmente el plan después de tantos años de preparación.

—El éxito en la Tierra dependerá de vuestro interés en el aprendizaje. El momento de cada uno de vuestros nacimientos personales en la Tierra se establecerá en relación directa con vuestra buena voluntad y cooperación durante el programa de aprendizaje.

Élan se sintió aliviado. Siempre había estado seguro de que sus propios deseos contaban para algo, pero a pesar de mantenerse firme en su resolución, hasta aquel momento nadie le había confirmado el valor de su propia voluntad. Se preguntó por las otras almas que habían nacido sin manual y sin aprendizaje, especialmente por Rhea. Ésta era un alma enérgica, de voluntad firme. En otro tiempo, había compartido con Élan sus sueños de ser profesora. Élan le deseaba que lo hubiera conseguido.

La voz del anciano le había distraído de sus pensamientos y le había hecho volver a prestar atención a la charla que tenía lugar en la sala.

—Tenemos que daros más información general acerca del planeta Tierra antes de que os retiréis al dormitorio para empezar con la lectura.

Mientras decía estas palabras, el libro se disolvió en el éter. Una asombrosa imagen holográfica de la Tierra, de color verdiazul, lo había reemplazado al instante. La luz del Anciano Em centelleó.

—Esto es lo que os aguarda —dijo—. Es una imagen de luz de la Tierra, vuestro próximo hogar.

»La Tierra se compone de grandes masas de tierra firme y de océanos —había seguido diciendo el Anciano Em, y en su tono de voz se reconocía su claro amor por aquel planeta—. De hecho, existen siete grandes continentes, separados por enormes extensiones de mar abierto.

A medida que hablaba, el Anciano Em fue iluminando varios sectores del globo.

—Dos tercios de la Tierra son agua.

Todos contemplaron, pasmados, cómo el planeta comenzaba a rotar lentamente en el aire.

—¿Qué os parece? —preguntó. La voz del anciano daba la impresión de flotar en la atmósfera, igual que la imagen de la Tierra.

—¡A mí me parece magnífica! —había murmurado Élan, casi sin darse cuenta. Estaba asombrado. Aquello superaba todo lo que hubiera podido imaginar.

—¿Ésos son sus colores reales? —Se había oído la voz de Brooke al fondo de la sala.

—Sí, ésos son sus colores reales —respondió reverentemente el Anciano Em.

—Es asombroso —susurró Jaron.

Toda la clase se había sentido cautivada a medida que el anciano les revelaba con dulzura los misterios de la Tierra. Le fueron haciendo preguntas mientras él les hablaba de las diferencias existentes entre las regiones y sus climas. Las imágenes se sincronizaban con las palabras para aclarar su enseñanza. Vieron las diferencias entre las partes de la Tierra: apareció el Polo Norte y luego se desvaneció para dar paso a la costa europea. Viajaron por las corrientes de agua y sintieron los cambios climáticos, y el anciano les enseñaba a distinguir un área de otra.

Su viaje tridimensional los había llevado por la historia; el anciano les habló de los muchos cambios que había sufrido el planeta a lo largo de las eras. Cuando describía la vegetación, cada una de las especies mencionadas aparecía y su aroma se dejaba notar por toda la sala. Olieron el jazmín y el pino, el eucalipto y la rosa. Entonces, las especies animales fueron presentadas una tras otra al grupo. Vieron las criaturas del mar y oyeron el cántico de las ballenas. Contemplaron las gacelas que saltaban grácilmente por las sabanas y llanuras de África.

Cuando el viaje terminaba ya, Justin había tomado la palabra.

—¿Y qué hay de los seres humanos? ¿En qué se diferencian de los animales que nos has mostrado? ¿Qué lugar ocupan en el universo?

—Lo que verdaderamente nos interesa, Anciano Em —añadió Zendar—, es el tipo de cuerpos que nos pondremos cuando partamos hacia la Tierra.

El Anciano Em había previsto la pregunta desde hacía rato y ya tenía la respuesta preparada.

—Los seres humanos son muy especiales —dijo—. Como ya habréis podido imaginar, ocupan un lugar único en el universo.

Con un destello de luz, la Tierra desapareció. La reemplazaron dos cuerpos, uno masculino y otro femenino, vestidos con trajes de color violeta que se ceñían a sus formas. Un silencio más profundo que los anteriores se impuso en la sala. Todas las almas sintieron que se les conmovía el corazón ante la asombrosa belleza de las formas físicas que flotaban en el aire.

—Esto —había susurrado el Anciano Em, haciéndose oír pese al silencio que se había impuesto en la sala— es el cuerpo humano. —Hizo una deliberada pausa—. Una réplica del traje-cuerpo que cada uno de vosotros tendrá que ponerse cuando viváis en la Tierra.

Élan se sintió hechizado. Así pues, aquélla era la apariencia del cuerpo humano. A menudo se había preguntado cómo sería, pero nunca había podido visualizar un espacio tridimensional. Ni siquiera en sus más fantásticos sueños habría sido capaz de imaginar algo tan bello. Los demás que estaban en la sala debían de haber sentido lo mismo. Durante largo rato, nada quebró el silencio.

Finalmente, el Anciano Em habló.

—El cuerpo humano tiene dos formas, la masculina y la femenina —había dicho—. Y es lo más desarrollado de la Tierra. Nada lo puede igualar en refinamiento, elegancia y gracia.

—Mientras el Anciano Em decía estas palabras, las piernas de las figuras holográficas empezaron a moverse y se echaron a andar, caminando por el aire—. No existe ninguna otra forma física tan carente de defectos, porque ésta fue diseñada para ejecutar los más complejos movimientos.

Todos habían quedado hipnotizados por los fluidos movimientos de los cuerpos, que efectuaron las más sutiles y suaves piruetas, y luego los potentes saltos de la carrera.

El Anciano Em había llamado la atención de todos sobre el torso de los humanos, y prosiguió:

—Fijaos en la rotación de los brazos, que permiten cotas máximas de estiramiento y envergadura.

Entonces, ambas figuras levantaron los brazos y los movieron en un círculo completo. Al poco, dejaron de girar. Los dos estiraron el cuerpo a la vez, tanto como pudieron. Luego se doblaron y se tocaron los pulgares de los pies en el aire. Aquello era una demostración perfecta de la total flexibilidad del tronco y de la región superior del cuerpo humano. El resultado de conjunto había sido una danza elegante pero sencilla, que mostraba la potencia y la agilidad de la forma humana. Los alumnos se maravillaron.

—Ahora, vamos a examinar uno de los rasgos distintivos del cuerpo humano: la mano. —Mientras decía esto, el Anciano Em había señalado las manos de las dos formas—. La mano humana es la más funcional del planeta. Es la única que dispone del recurso llamado asimiento prensil.

Mientras aún hablaba, las imágenes iluminadas se volvieron y se encararon. Sus brazos recorrieron con suavidad el espacio que las separaba y se cogieron de las manos. Tras inclinarse ligeramente, se separaron y alzaron ambas manos para que todos pudieran ver el delicado movimiento de la muñeca en el acto de mostrar las palmas.

Entonces, las iluminadas imágenes habían mostrado la colaboración del pulgar y el índice. A cámara lenta, acercaron los índices a los pulgares hasta que se tocaron.

—Notad la perfección de su diseño estructural —había dicho el anciano, señalando a las dos figuras—. La mano humana es capaz de sostener objetos y se distingue de todas las demás por esta habilidad. El asimiento prensil ha dado a los humanos la capacidad de efectuar movimientos sutiles y manipulaciones complejas. Por su mediación, los humanos han sido capaces de crear y emplear herramientas que les han permitido superar a todas las demás especies de la Tierra.

Al instante, las figuras desaparecieron, y la luz del Anciano Em rotó en el aire y se desvaneció. Todos los que estaban en la clase sofocaron un grito. Se había materializado en forma humana en el centro del remolino de energía, revestido de un cuerpo humano. Vestía un traje ceñido de color violeta, idéntico a los que habían aparecido en la demostración. Sus suaves ojos verdes, subrayados por la asombrosa cabellera plateada que le llegaba hasta los hombros, parecían casi translúcidos. Tendió los brazos y repitió los movimientos que las figuras habían hecho minutos antes con las manos. Las alzó y acercó los cuatro dedos mayores de cada una a su respectivo pulgar.

—¡Esto es increíble! —Élan susurraba audiblemente—. ¡El cuerpo humano es milagroso!

—¿*Todos* los cuerpos humanos son así de verdad? —Ashley había arrojado destellos al hablar. Sentía fascinación por el plateado cabello.

—Éste es el aspecto de *mi* cuerpo. —Los amables ojos verdes del Anciano Em centellearon a la espera de la siguiente pregunta.

—¿Quieres decir que son todos distintos? —preguntó Jaron, pues aquello le había picado la curiosidad.

—Así es. —El anciano se había vuelto con los brazos extendidos para que todos pudieran contemplar su figura.

—Bien, pero ¿cómo serán *nuestros* cuerpos? —le había preguntado Justin.

—Similares al mío —el anciano se detuvo con los brazos todavía abiertos—, salvo en que los vuestros serán algo más jóvenes. Cuando nazcáis en la Tierra, empezaréis con un traje-cuerpo infantil. Con el tiempo, éste evolucionará hasta transformarse en un traje-adulto juvenil, bastante parecido al que os pondréis para la simulación. Éste que vais a poneros se halla entre los veinte y los treinta, podría tener unos veinticuatro o veinticinco años terrestres.

El Anciano Em chascó los dedos y todos se transformaron. Todos los que estaban en la sala, que al principio habían sido luces, se convirtieron en veinticinco cuerpos humanos.

Élan miró hacia abajo. Su luz refulgente había desaparecido. En el lugar del vórtice central de su energía había ahora una sólida masa de pecho y torso. Se contempló con horror; brazos y piernas habían reemplazado a las vibrantes extensiones de luz de su aura inferior.

Poco a poco, movió las manos y quedó absorto en las sensaciones de la carne y del hueso al hacer rotar las muñecas y orientar las palmas hacia arriba, como había visto hacer a las figuras. Imitando sus movimientos, se tocó cada uno de los dedos con el pulgar. Entonces, se abstrajo en la sensación de apretar el puño, de oprimir la parte carnosa de la mano con los dedos recogidos.

Finalmente, levantó las manos para palparse la lisa superficie de la frente. Recorrió sus arrugas con los dedos. Donde en otro tiempo había habido simple conciencia, ahora existían ojos, orejas, una nariz y una boca.

Miró en derredor y se sorprendió al ver a los demás. La sala estaba llena de cuerpos, masculinos y femeninos, grandes y pequeños. Todos estaban vestidos con los mismos atuendos de color violeta, pero cada uno de los cuerpos era claramente distinto. El color de la piel difería y el tamaño variaba. Todavía le había sorprendido más la variedad de los colores del cabello; estaban todos: del rubio al pelirrojo, del castaño oscuro al negro brillante. Entonces, se tocó la cabeza con las manos...

2
El manual

Élan se pasó la mano derecha por los cabellos, cortos y rubios como el oro.

—¡Vaya sucesión de acontecimientos! —pensó—. ¡Esto casi ha sido excesivo!

Se levantó de la cama para liberar la tensión de las caderas y del torso, y un cosquilleo le recorrió ambas piernas. Alzó los brazos para desentumecerse los músculos de los hombros y dobló el cuerpo hasta tocarse los dedos de los pies. Quedó momentáneamente perplejo ante la flexibilidad que mostraba su propio cuerpo.

La cabeza le daba vueltas. Habían cambiado muchas cosas en muy poco tiempo; en primer lugar había asistido a la revelación del plan y a la presentación del manual; luego había visto por primera vez la Tierra —algo que jamás olvidaría—, y finalmente se había puesto un traje-cuerpo.

Al contemplar la habitación, se maravilló de lo distinto que era aquel entorno. Antes de ponerse el cuerpo, podía viajar a la velocidad del pensamiento y producir su propia luz, y no necesitaba dormir. Ahora había luces e interruptores, una cama y una mesilla de noche. Era el cuerpo el que necesitaba aquellos cambios en el ambiente. Todo lo que le rodeaba servía para satisfacer sus necesidades.

Hizo unos pocos estiramientos más y se echó de nuevo en

la cama. Se tumbó boca abajo y arrojó el manual sobre la almohada.

«Incluso la portada del libro es bella», pensó, y recorrió con los dedos las letras plateadas de la cubierta. Sin duda alguna, el manual contenía energía. Las manos le cosquilleaban al tocarlo. Al abrirlo, se veía sumergido en una oleada de expectación. Para su sorpresa, los pensamientos que había tenido anteriormente aparecieron impresos ante sus ojos.

¡Todos y cada uno de nosotros queremos ser lo mejor que podamos ser!

¿Acaso el libro le había leído la mente? *Ser lo mejor que uno pueda ser;* ¡siempre había repetido este ruego, durante una eternidad intemporal de resolución interior! Siempre había entendido aquello como una simple petición personal, oculta en el secreto silencio de su corazón. ¡Ahora descubría que todas las almas quieren hacer el bien, que todas las almas quieren lograrlo! Élan se sintió cautivado, sintió curiosidad. Siguió leyendo:

Todas las almas quieren convertirse en un gran ser humano. Todas parten con la mejor de las intenciones.

Pero si la vida en la Tierra fuera fácil y todas las almas tuvieran que ver realizados sus sueños, este manual no sería necesario.

«¿A qué se referirá?» Élan se sentía perplejo. No alcanzaba a imaginar cuáles serían los retos a los que debían hacer frente los seres humanos. «Pero algún problema debe de haber —pensó—. ¡Al fin y al cabo, habrán tenido alguna razón para elaborar este plan!»

Pasó la página y se puso a leer la introducción.

Apreciado viajero de la Tierra:

Este documento forma parte de un atrevido nuevo plan, encaminado al despertar de la humanidad y a la salvación del planeta Tierra. Hasta este momento, no había existido ningún manual escrito que contuviera las metas y procedimientos asociados a ese planeta. Como resultado, muchos seres humanos se han perdido en el camino de la vida.

Cuando el espíritu habita en un cuerpo humano, entra en estado de amnesia. Muchos humanos han quedado subyugados por las ilusiones de la Tierra y han olvidado que su esencia es espiritual. En su confusión, muchos han olvidado quiénes son en realidad y por qué nacieron. Olvidando sus metas, han abandonado la búsqueda de la perfección propia y el servicio a la humanidad.

La vida en la Tierra tiene un propósito. Creemos que si los seres humanos reciben información apropiada concerniente a este destino, se inclinarán espontáneamente por el camino de sabiduría. Éste es el tema central y el objetivo de esta obra y de la formación que vas a recibir.

Pronto te convertirás en un ser humano. Nuestra intención es ayudarte a hacer frente a las condiciones de vida y a los retos que tendrás que afrontar en cuanto entres en la atmósfera de la Tierra. Hemos decidido concentrarnos en una serie de lecciones sencillas que te ayudarán en tu viaje por la Tierra.

Cuando partas para la gran aventura de tu alma, por favor, recuerda que llevas contigo, en tu corazón, la esperanza de varias generaciones. Durante el período de tiempo correspondiente a una breve vida humana, el planeta

Tierra será tu hogar y tu aula. Durante este tiempo, en el laboratorio de la Tierra, tendrás la oportunidad de aprender y madurar a partir de la experiencia humana.
Estudia bien y mantente alegre.
Aprovecha al máximo tu tiempo.
Acuérdate del propósito de la vida, y del plan.

Comité de Acogida Planetaria

Élan se estremeció de emoción. Cuando apartó los ojos del libro, la cabeza le daba vueltas.

«¡Esto es lo que buscaba! —pensó—. ¡Por fin voy a hallar algunas respuestas!» Se sentía como si hubiera estado aguardándolas durante toda una eternidad, pero en ningún momento había tenido expectativas de encontrar un manual escrito. Silenciosamente, dio gracias a Dios.

Mientras observaba un punto de la pared con la mente en blanco, pensó súbitamente en Zendar. ¿Dónde podía estar, y cómo le iría? Se preguntó si estaría leyendo el manual.

Zendar... Élan se incorporó bruscamente. ¿Qué pasaría si no era capaz de reconocer a su amigo? Con todo el ajetreo de la mañana, no se había fijado en el cuerpo que había recibido Zendar. ¿Y si perdía a Zendar, oculto en un traje-cuerpo que Élan no pudiera reconocer? Se cubrió el rostro con la mano. «¿Y si Zendar no me reconoce a mí?», pensó. Se le aceleró el pulso. ¿Qué podría hacer?

Se sentó en el borde de la cama y se preguntó si ellos dos cambiarían al estar revestidos de un cuerpo. ¿Tendrían intereses distintos? ¿Se impondrían metas diferentes? ¿Y qué sería de su amistad? Élan no podía sufrir la idea de perder a un amigo, especialmente después de que Rhea se hubiera marchado.

En aquel mismo momento, la puerta de su dormitorio se abrió chirriando. Una figura alta y de aspecto llamativo, con el cabello de color castaño claro, le observó desde la puerta. Su esencia energética era inconfundible.

—Zendar, eres tú. —Élan se sintió aliviado. Se miraron a los ojos.

—Sentí pánico al darme cuenta de que no sabía cuál era tu traje-cuerpo —dijo Zendar, y cerró la puerta.

—¡A mí me ocurrió lo mismo! —Élan saltó de la cama y corrió hacia su amigo.

De pronto, cuando estaban cara a cara, se detuvieron, y la habitación empezó a girar lentamente... siguiendo el ritmo de sus corazones; abrieron los brazos para abarcar todo el universo de tiempo que los separaba. Sus dedos se encontraron. Ambos tocaban por primera vez una mano humana. Los dos sintieron la energía del otro en las yemas de los dedos y supieron dentro del corazón que no importaba la forma física que adoptaran. Siempre sabrían reconocerse. Élan se maravilló. Jamás se había sentido de aquella manera.

En seguida se pusieron de acuerdo sin necesidad de palabras: estudiarían juntos. Élan decidió sentarse en la ventana. Era su lugar favorito en toda la habitación. Cogió el libro, se subió a la repisa y apoyó los pies en el marco.

Zendar optó por la cama. Se tumbó boca abajo, con los pies sobre la cabecera y la cabeza bajo la ventana. Se ofreció para leer el texto en voz alta, y a Élan le pareció bien.

Mientras trataba de sentarse cómodamente en la repisa, Élan vio una voluta de humo por el rabillo del ojo. Había algo detrás de la ventana que siempre atraía su atención. Sabía que se trataba de Rhea. «¿Dónde estará ahora? —se preguntaba—. ¿Y por qué nació mucho antes que nosotros?» Élan la echaba de menos. A ella le habría encantado la idea de aquel aprendizaje, así como el manual.

Sin advertir el súbito cambio que se había producido en el humor de Élan, Zendar se entretenía empujando la almohada con el pie de un extremo a otro de la cama. Fascinado con la destreza de su nueva forma física, puso el libro sobre la almohada y lo abrió.

Zendar apartó los ojos del texto; Élan todavía estaba mirando por la ventana y pensando en Rhea. Observó con detenimiento el rostro de su amigo antes de decir nada.

—Añoras a Rhea, ¿verdad?

Élan volvió la cabeza y asintió. Sus ojos de suave color garzo se mostraban distantes.

—Este manual le habría gustado de verdad —contestó, pensativo.

—Yo me estaba diciendo lo mismo.

Élan percibía la continuidad de conciencia que mediaba entre ambos. Se alegraba de saber que eso tampoco había cambiado al ponerse el cuerpo. Ambos confiaban en aquel vínculo, e incluso dependían de él.

—Me pregunto dónde estará —Zendar hablaba con voz distante—. Lamento que no esté aquí para tomar parte en esto.

—Yo también.

Perdidos en sus pensamientos, ambos se refugiaron en la intimidad de su relación con Rhea. Ésta era un alma extraordinariamente sincera y gentil. Su empatía y su afecto no conocían límites. Tales eran sus mayores dones, y sin embargo, Élan había temido a veces por ella, pues aquellas mismas cualidades la hacían vulnerable. El manual la habría ayudado en su viaje.

En cierta ocasión, los tres habían jurado no separarse jamás, y Rhea había prometido que, si de todos modos se separaban en alguna ocasión, trataría de encontrarlos. Élan no había dudado de ella y, a pesar de las circunstancias, seguía sin dudar.

«¿Dónde nos encontraremos, amiga mía, y en qué momento?», pensó para sí. Élan sabía que Rhea era mujer de palabra, aunque no estuviera seguro de cuándo podría cumplirla. Su partida había sido tan triste... En aquel momento, los tres se habían visto obligados a aceptar la verdad. Los iban a enviar a cada uno por su lado; cada uno viviría su propia aventura.

Élan contempló las brumas. Su anhelo por ver a Rhea era tan profundo que incluso entonces, pensando en ella, sentía su luz. Se miró su propia mano, que sostenía el libro, y se preguntó por el traje-cuerpo que ella llevaría. «¿Qué aspecto puede tener, y cómo le irá?» Al imaginarla sola en aquel lugar, sin formación previa y sin manual, se sentía incómodo.

Zendar se revolvió sobre la cama.

—Tal vez la encontraremos.

Su tono de voz infundía confianza. Zendar sabía cuánto la amaba Élan. Él mismo también quería a Rhea, pero los abismos del amor de Élan eran insondables. Parecía que tuviera sentimientos mucho más profundos que los de Zendar. Su gran capacidad para amar explicaba su extrema sensibilidad ante las necesidades de otros. Élan siempre prestaba atención a los sentimientos de sus amigos. Zendar apreciaba esta cualidad suya.

—Todo le debe de ir bien —le dijo, con el callado deseo de apaciguar su dolor.

Tal vez conviniera cambiar de tema. Zendar se volvió hacia el manual y empezó a leerlo en voz alta. Logró un efecto tranquilizador; las arrugas de tensión que habían aparecido en torno a los ojos de Élan se relajaron, y éste se subió a la ventana y leyó por encima del hombro de Zendar.

Al cabo de poco, Élan se perdió en sus pensamientos. Imágenes del planeta flotaban ante su ojo interior; la voz de Zendar marcaba con sus pausas la importancia de cada uno de los puntos que leía.

• • •

Principios del propósito planetario de la vida

1. *El planeta Tierra es un aula.*
2. *Para entrar en el aula Tierra, cada uno de vosotros tiene que ponerse un traje-cuerpo.*
3. *Cuando recibáis el cuerpo, sufriréis amnesia y olvidaréis quiénes sois en realidad.*
4. *El programa de estudios de la Tierra se centra en llegar a recordar que ya sois espíritu y amor.*
5. *Cuando empecéis a recordar que sois amor, vuestra intención de manifestar con plenitud ese amor se verá obstaculizada.*
6. *Esto se debe a que cada uno de vosotros recibirá también un Ego Personal y un Libre Albedrío junto con el traje-cuerpo en el instante de vuestro nacimiento.*
7. *Todo aprendizaje y maduración está centrado en el reto de superar el ego para manifestar el amor que en realidad sois.*
8. *Vuestra graduación en el aula Tierra depende de que consigáis revelaros plenamente como amor activo.*

Cuando Zendar hubo terminado de leer este pasaje, Élan sintió pálpitos. La Tierra ya no era una imagen lejana. ¿Y si había nacido ya? El libro y la cama parecían tan reales, y aquel cuerpo... Élan se cubrió la cara con la mano izquierda. ¿Qué era aquel cuerpo, y dónde estaba? Entonces vio a Zendar sobre la cama. No, aquello no era la Tierra... aún no.

Trémulo, varió de postura y bajó las piernas de la repisa.

—Ya tengo algunos puntos claros —dijo cuando sus pies llegaron al suelo.

—Yo también, pero ¿qué es un ego personal?

—Eso es lo que me estaba preguntando. Aparta, tengo que cambiar de posición.

Zendar se arrimó a la pared, y Élan se tumbó boca abajo a su lado y volvió a abrir su libro. Estudiaron de nuevo todos los puntos, esta vez en silencio. Como todavía no hallaba una respuesta, Élan pasó las páginas hasta el apéndice del final, donde leyó:

• • •

APÉNDICE

Cada uno de los seres humanos es una célula en el gran cuerpo de la humanidad, pero a causa del efecto amnesia y del ego personal, casi todos los que están en la Tierra lo han olvidado. La mayoría de seres humanos, al mirarse unos a otros, perciben tan sólo las diferencias superficiales y no el idéntico origen que todos ocultan.

Esto se debe a que el ego crea un sentido de identidad personal que produce la ilusión de separación, con lo que el yo parece diferente del tú.

La maduración y la sabiduría se entienden como el desplazamiento desde un estado de conciencia contracto a otro expandido: de pensar en el yo a pensar en el nosotros. La meta es expandirse hasta abarcar todas las cosas y todas las personas. Nuestro desarrollo en la Tierra se mide de acuerdo con el grado en el que transformamos nuestra conciencia desde una identidad personal autocentrada hasta una identidad universal expandida.

Élan se incorporó.

—¡A mí esto me parece una sucesión de galimatías!

¡Aún no podía comprender la idea de «ego»! Era completamente extraña para él. Al fin y al cabo, a aquel lado de la ventana del tiempo no había nada con lo que compararla. Parecía tan extraña... «Espero que el Anciano Em pueda aclararme esto», pensó. Bajó de la cama y regresó a la ventana.

Al sentir movimiento en la cama, Zendar, que hacía unos instantes había tenido la cabeza hundida en la almohada, se volvió sobre el costado.

—Estaba soñando en la Tierra —murmuró, y se acercó las piernas al estómago con el brazo derecho.

Su ondulado cabello castaño se había despeinado y su voz tenía una cualidad brumosa, como si hablara todavía en sueños. Zendar era valeroso y fuerte, pero, al mismo tiempo, tenía algo que le hacía parecer inocente y simpático. Élan se sintió reconfortado al contemplar a su amigo.

—He visto seres humanos con bellas luces de colores brillantes ocultas dentro del cuerpo. Ninguno de ellos podía ver las luces de los demás. —Zendar todavía vacilaba en la frontera entre los dos mundos, se hallaba todavía en las lindes de su sueño—. Había muchos humanos que vagaban por toda la Tierra, por todos los continentes y países. Parecían perdidos. Entonces, me sentí vacío; como si me hubiese perdido y tratara de encontrar el camino. Luego, todo desapareció y he vuelto a casa, aquí, al otro lado.

—Lo que cuentas se parece a la amnesia de la que habla el manual —comentó Élan.

—Mmm —dijo Zendar. Vuelto todavía sobre el costado, vio somnoliento como Élan abría la cortina y echaba un vistazo afuera.

—Revestirse de un cuerpo es algo extraño... —Élan calló al ver las densas nubes que había al otro lado de la ventana. Se sintió como si hubiera entrado en el sueño de Zendar. Sus representaciones del ego, del libre albedrío y de la separación parecieron chocar en su interior cuando observó la impenetrable bruma que había tras el cristal.

—Y aún no hemos ido a la Tierra —dijo un aturdido Zendar, con voz hueca.

Élan cerró la cortina y se apartó de la ventana, preguntándose si alguna vez podría ver lo que había detrás de la niebla. Mientras ordenaba en silencio aquella mezcla de sensaciones, Rhea le pareció muy lejana. Estaba teniendo tantas nuevas experiencias a la vez... Se sentía abrumado.

—No lo entiendo —dijo, volviéndose de nuevo hacia Zendar—. Nunca me había sentido así. A veces me pregunto si tenemos todas estas sensaciones *a causa* del cuerpo. —Vaciló en el intento de poner orden en sus pensamientos—. Es decir, que me pregunto si sentirse perdido y solo es una consecuencia de tener un cuerpo distinto del de todos los demás.

—Puede ser —dijo Zendar, pensativo—. Jamás habíamos vivido esas sensaciones *antes* de tener el cuerpo. —Aún retenía el sentimiento de vaciedad de su sueño—. Espero que logremos entender mucho más antes de que comience la próxima sesión de aprendizaje.

Zendar abrió los ojos como platos al darse cuenta de lo que acababa de decir. La siguiente sesión de aprendizaje... ¡iban a llegar tarde!

3

El efecto amnesia

Élan y Zendar aparecieron corriendo por el pasillo e irrumpieron en la clase. Habían querido llegar temprano pero, absortos en la introducción del manual, habían perdido todo sentido del tiempo. Zendar había dejado su libro en el dormitorio. En el último minuto, recordó que lo necesitaba para la clase. Así, tuvo que volver hasta allí a buscarlo.

Había pupitres en el aula para que sus nuevos cuerpos pudieran acomodarse, pero cuando llegaron, sólo quedaban tres que siguieran libres. Estaban en sitios distintos de la clase, y Élan y Zendar tuvieron que separarse. Como no quería molestar al resto de los alumnos, Élan trató de caminar en silencio, pero aún respiraba con dificultad por haber corrido.

—Los cuerpos físicos son mucho más ruidosos que los de luz —pensó, abrumado al principio por la densidad del aula.

Los cuerpos ocupaban mucho espacio y contenían un tipo diferente de energía. Nada centelleaba y todo parecía más pesado.

Sintiéndose todavía extraño, anduvo entre los bancos hasta su asiento. Unos pocos alumnos levantaron los ojos cuando Élan pasó rozando sus pupitres.

«Paciencia —se decía a sí mismo—. Paciencia y mucha práctica. ¡Estoy seguro de que mejoraré en el control de este cuerpo!» Estaba decidido a aprender a moverse con mayor agilidad.

Élan dejó el manual sobre la mesa y se acomodó en el

asiento; todavía se esforzaba conscientemente por reducir sus movimientos al mínimo necesario. El Anciano Em estaba hablando aparte con Jaron y Brooke en la primera fila, y así Élan tuvo tiempo para ponerse cómodo y observar cuanto le rodeaba. Al volverse hacia la pared posterior, advirtió súbitamente que se había producido un cambio en la sala. Algo era diferente. Había desaparecido aquella atmósfera propia de una solemne mansión del saber y la había reemplazado un hálito de emocionante aventura. Las paredes, antes vacías, estaban recubiertas ahora de carteles que aludían a un viaje. La expectación se notaba en el ambiente, pero Élan no estaba seguro del significado de todo aquello.

Tras acabar de hablar con los alumnos, el Anciano Em regresó a su mesa.

—¿Cómo os va a todos?

—¿Nos lo pregunta por cortesía o de verdad quiere que le respondamos? —dijo Justin, con enigmático sarcasmo.

El Anciano Em sonrió al escuchar su pregunta. Era natural en alguien que se acababa de revestir de un cuerpo.

—Os lo he preguntado en serio. Estoy interesado de verdad en saber cómo os va.

—Hay que pasar por todo un proceso para acostumbrarse a vestir un traje-cuerpo, ¿verdad? —intervino Élan—. Yo no puedo hablar por los demás, pero me siento algo torpe.

La mayoría de los alumnos asintió a sus palabras.

Justin, el que había iniciado el diálogo, se volvió hacia a Élan y, al hacerlo, vio por el rabillo del ojo a Ashley. Qué frágil parecía, allí sentada, escuchando la conversación. Se preguntó por qué no se había fijado en ella hasta aquel momento. «Probablemente porque todavía no se había puesto el cuerpo», pensó. Entonces, se maravilló de que los cuerpos tuvieran un efecto tan poderoso sobre las conciencias, y al instante volvió a prestar atención al profesor.

—Desde luego, hay que contar con que, en los primeros estadios del manejo del cuerpo, os sentiréis torpes —confirmó el Anciano Em, respondiendo a la pregunta de Élan.

—A causa del peso, ¿verdad?

—Y de la densidad.

El Anciano Em sonrió, recordando su primera experiencia con la densidad física. Él también se había sentido muy torpe al tener que mover masa en vez de energía luminosa.

—Dejad que pase algún tiempo.

—No tengo problemas con eso.

—¿Hay algo más?

—Sí, algo que me tiene muy inquieto.

—¿Todavía más que la adaptación al cuerpo? —preguntó el anciano. Élan asintió—. ¿De qué se trata?

—¡Del ego! —exclamó Élan arrugando el entrecejo—. ¿Qué es exactamente, y cómo funciona?

—Ése es un tema espinoso, Élan. —Los plateados cabellos del anciano centellearon bajo la luz—. Los filósofos de la Tierra han pugnado durante años con esa cuestión —murmuró—. De hecho, me gustaría oír tu propia interpretación, Élan.

—Yo creo que el ego es lo que nos hace sentir separados —dijo Élan, pensativo—. Creo que se parece a lo que vio Zendar en su sueño.

—¿Has tenido un sueño, Zendar? —El anciano se volvió hacia el joven, claramente interesado—. Cuéntanoslo.

Zendar repitió lo que había visto y describió con vívidos detalles las luces ocultas de brillantes colores. Al acabar, expresó los extraños sentimientos negativos producidos por las imágenes.

—Ha sido un sueño muy especial, Zendar. ¿Qué sentimientos te produce ahora?

—Al despertar, aún sentía esa vaciedad, y todavía conservo un extraño sentido de separación —explicó Zendar—. Parecía una advertencia, Anciano Em. La experiencia en la Tierra es muy diferente de todo lo que conocemos, ¿verdad?

—Ciertamente, lo es. —El Anciano Em se volvió hacia Élan—. Y tú tienes razón, Élan, el ego es el origen de todo aislamiento y soledad en ese planeta. Sin embargo, es casi imposible hablar del ego sin haberlo conocido por experiencia directa. —Iba paseando entre las filas de pupitres mientras decía estas palabras—. Así que ahora mismo vamos a daros una oportunidad de conocerlo.

—¿Con qué objetivo? —preguntó impulsivamente Justin.

—Para que tengáis experiencia directa del ego.

—¿Cómo? —preguntó Justin.

—Yendo a la Tierra.

—Pero todavía no estamos preparados para el nacimiento. —dijo Ashley, perpleja—. Creía que pasaríamos por un proceso de aprendizaje y que se seguía un plan.

—No estoy hablando de nacimientos. —El Anciano Em rió entre dientes para sí. No había querido asustarlos—. Os estaba hablando precisamente del aprendizaje y del plan. Vamos a comenzar con la primera simulación.

—¿Simulación? —Justin hablaba con voz aprensiva—. ¿Qué simulación?

—¿Recordáis las tres etapas del proceso de aprendizaje? Lectura, meditación y práctica. —Al decirlo, el Anciano Em miró a Justin—. Confío en que ya habréis leído y meditado y, así, estaréis listos para empezar con la primera sesión práctica.

Se fijó en los ojos de Justin. La amnesia estaba empezando a surtir efecto.

—Cada una de las prácticas se realizará en una simulación de la Tierra. —Mientras hablaba, el anciano miró en derredor. Justin no era el único. En el aura de la mayoría de los alumnos había ya destellos de pérdida de memoria—. «Es imposible aplazarla, la primera simulación *debe* empezar pronto», pensó.

—¿Estás seguro de que nuestra preparación es suficiente? —preguntó Jaron, sorprendido de que el Anciano Em no hubiera mencionado aquello en la conversación que habían mantenido antes de la clase.

Jaron tenía los ojos negros y separados y la tez ligeramente aceitunada, y se advertía cierta callada fuerza bajo su atractiva apariencia. Era un alumno sagaz, siempre interesado en comprenderlo todo. Porque aunque confiara en sí mismo, Jaron sabía que esta confianza sólo reposaba en su preparación y en la atención al detalle.

—Sí, es suficiente —aseguró el Anciano Em. Sabía que la amnesia no se haría esperar. Una vez había comenzado a actuar, ya sólo podía acelerarse—. Lo veo en tus ojos —añadió enigmáticamente.

—Al ver los carteles de la pared, habríamos tenido que imaginar que nos preparaban algo. —Los ojos garzos de Ashley seguían con inquietud al anciano en sus paseos entre las hileras de pupitres.

Dándose cuenta de lo nerviosa que estaba, el anciano se le acercó. Era una joven encantadora, muy sensible, con intuiciones de innata agudeza. Em sabía que aún no había aprovechado todo su potencial. Estaba seguro de que, si encontraba apoyo, desarrollaría una tremenda fortaleza.

Atraído por la presencia de Ashley, Justin se volvió hacia ella y observó atentamente aquel momento de interacción. Ashley sintió que se le relajaba la tensa espalda al contemplar los ojos tranquilos del anciano.

—Gracias —susurró.

El Anciano Em asintió, y aunque se alejara, la joven quedó cautivada por su energía.

—En la simulación, como en la vida —siguió diciendo, mientras se paseaba de nuevo entre las hileras de pupitres—, realizaréis un viaje. Los carteles os facilitarán algunos pensamientos que necesitáis para ese viaje. —Calló por unos momentos, dudando en hablarles de la amnesia que se estaba adueñando de toda la sala. Decidió que los alumnos debían comprender con plena consciencia lo que estaban experimentando, y dijo—: En algunos momentos sentiréis pérdida de memoria, o dispersión mental.

Élan clavó los ojos en el anciano. «¡Entonces, es eso lo que me ocurre!», pensó. Se sentía cada vez más disperso. Había querido ser el primero en presentarse voluntario, pero ahora tenía que hacer frente a su propia indecisión. Cuando trataba de recordar las palabras del manual, su memoria lo eludía.

—Mi mente ha perdido toda concentración —confirmó en voz alta.

—¿Y qué os ocurre a los demás? —preguntó el anciano. Se oyó un murmullo de asentimiento por toda la sala—. Es el efecto de la amnesia que ahora está permeando la atmósfera. Está dando la señal para el comienzo de la simulación, así que permitidme que os dé las últimas instrucciones antes de comenzar.

Siguió hablando, y su voz les reconfortaba.

—Recordad, ante todo, que esto es una experiencia de equipo. Vamos a hacerlo juntos. Todos podréis ayudaros mutuamente durante la simulación. —El Anciano Em escudriñó las reacciones que se daban en la sala—. No debéis preocuparos. Si os perdéis o tenéis problemas para recordar quiénes sois, el método de la prueba y el error os ayudará a desenvolveros, igual que en la vida real. —Esta información pareció tener efectos tranquilizadores en la sala.

Ashley se arrellanó en su asiento.

—¿Quieres decir que, si cometemos un error, tendremos la posibilidad de volver a intentarlo?

—Tendréis tantas posibilidades como necesitéis para

aprender las lecciones, Ashley. Las lecciones no aprendidas tienden a repetirse hasta que son asimiladas. —Se dirigió a toda la clase—. La simulación, igual que vuestra futura experiencia en la Tierra, está basada en la corrección progresiva. Las equivocaciones, en realidad, os servirán como retroalimentación y oportunidades de crecimiento. Aprended de la retroalimentación y así aceleraréis vuestro ritmo de desarrollo cuando progreséis.

»Ahora, hablemos de las simulaciones como tales. —El anciano acompañaba sus palabras con gestos de las manos—. Vamos a experimentar cuatro simulaciones en total. Cada módulo de simulación os enfrentará con uno de los principales retos de la Tierra. Cuando el módulo esté completo, recuperaremos al voluntario en la sala de instrucción, a fin de revisar vuestros progresos y daros nueva preparación.

»Así pues —hizo una pausa antes de proseguir—, ¿quién desea presentarse voluntario para la primera etapa de simulación?

Élan había esperado un tiempo más largo de estudio. Miró nerviosamente a Zendar. «Tal vez podríamos presentarnos como voluntarios para ir juntos», pensó. Ya lo habían comentado antes, pero ahora Zendar estaba perdido en sus pensamientos y tenía la mirada distante y remota.

—No estoy seguro de comprenderlo. —Jaron hablaba con voz algo trémula, como si hubiera perdido momentáneamente la confianza en sí mismo.

—Yo tampoco —añadió Justin, mirando a Jaron y dando gracias por no ser el único que se sentía confuso—. ¿Qué tendremos que hacer exactamente si nos presentamos voluntarios?

Zendar alzó la cabeza en respuesta a las voces de la sala, pero aún parecía que tuviese la mirada perdida en el horizonte. Por primera vez, sus pensamientos estaban ocultos. Élan no podía comunicarse con él. Al sentir la distancia que los separaba, una horripilante sensación le recorrió el espinazo. «Oh, Zendar, tú no —pensó—. ¡No pierdas toda consciencia, Zendar!» Al mismo tiempo que este pensamiento le traspasaba la mente, Zendar se movió y se volvió hacia él. Cuando sus ojos se encontraron con los de Élan, la cálida y familiar sonrisa le iluminó el rostro. Con un suspiro de alivio, Élan se arrellanó en la silla. Zendar parpadeó. Volvía a estar con su amigo, pero Élan entendió que aquella amnesia tenía que ser seria, puesto que incluso Zendar había ido a la deriva.

Jurando que se mantendría consciente, Élan empezó a contarse los dedos de las manos. Lenta y metódicamente, fue moviendo los dedos, y quedó totalmente absorto en aquel recuento mientras la conversación proseguía a su alrededor.

—El aspecto del ego que encontraremos en la primera simulación es el de la resistencia personal —respondía el Anciano Em—. El primer voluntario descubrirá la fuerza de voluntad necesaria para el viaje definitivo.

—¿Qué viaje? —Justin tenía la mente confusa y le costaba seguir la conversación.

Viendo los apuros que padecía Justin, el Anciano Em aminoró deliberadamente el ritmo de la explicación.

—La amnesia que estáis experimentando es la misma que se experimenta en la Tierra —dijo—. La vida en la Tierra es un viaje, y su meta, vivir con el corazón. Sin embargo, a causa de la amnesia, todos los hombres y las mujeres olvidan esta misión, así como su meta.

Al medir la energía de la sala, el Anciano Em comprobó que el proceso descrito estaba teniendo lugar ante sus propios ojos. Los alumnos sufrían los primeros estragos de la pérdida de memoria, forcejeaban con la cuestión de su propia identidad personal y con el objetivo de la vida. Había que impartir la lección antes de que fuera tarde.

—La metáfora que emplearemos para representar la meta en nuestras simulaciones es la Cueva de la Compasión, oculta en las alturas del monte Akros. Así, cada uno de los voluntarios partirá en busca de esa cueva. Sin embargo, por virtud de la amnesia, a menudo no entenderéis en qué consisten la misión y su meta. Algunos os dirán que ni siquiera existen. Así, habréis de reforzar vuestra voluntad para que cada uno de los hombres o mujeres pueda seguir su intuición interna y llegar finalmente a su objetivo.

Con un gesto casi imperceptible, rasgó de improviso la atmósfera y aparecieron flotando las siguientes palabras:

Recuerda tu misión; has partido para un viaje
Recuerda tu meta; hallar la Cueva de la Compasión

—Pero antes nos habías hablado de que tendríamos que hacer frente a unos retos. —Élan alzó los ojos, al tiempo que las palabras se disolvían en el aire—. ¿El reto es esta amnesia, o más bien el hecho de que mucha gente niegue la existencia de la cueva?

Había vuelto a la conversación. Al contarse los dedos, había podido impedir que sus pensamientos se dispersaran.

—Ambas cosas forman parte del reto.

—¿Y con qué más nos encontraremos? —Élan recobró la lucidez durante unos momentos—. Creo que nos has hablado de algo específico, que cada uno de los voluntarios encontrará en su simulación.

—Eso he dicho.

—¿Y cuál es el reto de la primera simulación?

—Resignación y desesperanza —respondió el Anciano Em—. Muchos comienzan con un objetivo en la vida. Pero en cuanto se les presentan complicaciones o chocan con la adversidad, suelen sucumbir. Estas personas permiten que las circunstancias rijan su vida y en ningún momento comprenden que tienen el poder de cambiar las cosas.

Escuchando la explicación del anciano, Élan vaciló durante un instante y se volvió hacia Zendar en busca de apoyo. En esta ocasión, Zendar le respondió y le inspiró coraje.

—¿Los retos se harán más fáciles a medida que progresemos? —Élan se volvió de nuevo hacia el anciano, con la esperanza de que le diera ánimos.

—De hecho, los retos se vuelven más difíciles, pero también crece vuestra capacidad para hacerles frente. —Mientras decía estas palabras, el anciano miró fijamente a Élan—. Hay una montaña en la simulación que representa la progresiva dificultad de la misión. Vuestra meta se halla en el interior de la montaña.

Élan sabía que no podría vacilar. Si no se presentaba de inmediato como voluntario, no estaba seguro de verse capaz de hacerlo luego. Era el momento. La simulación iba a comenzar; tenía que decidirse. Se volvió una vez más hacia Zendar y el corazón se le aceleró. Tenía la mirada fija, inamovible.

El Anciano Em se dirigió de nuevo al resto del aula y dijo, con calculada intención:

—Ahora, necesitamos un voluntario.

«Es el momento», pensó Élan, y respiró hondo.

—Sí, Anciano Em —dijo, empujando hacia atrás la silla y levantándose—. Me gustaría hacerlo. ¡Yo quiero ser el primero!

Zendar le miró con orgullo. Su amigo, alto y gallardo, salió delante de la clase.

«Ya no te muestras torpe con tu cuerpo, amigo mío —pensó, contemplándole desde el pupitre—. Qué bella figura —juzgó, al observar los gráciles andares de Élan—. ¡Lo harás bien en la simulación! Estaré contigo», se prometió en silencio cuando Élan se volvió hacia el anciano para recibir su misión.

—Te felicito, Élan. —El Anciano Em le dio una afectuosa palmada en el hombro—. Estoy orgulloso de ti —dijo, mirándole a los ojos garzos.

Por unos momentos, Élan percibió la vibrante energía del anciano.

—Voy a contarte lo que te ocurrirá. —El anciano se volvió hacia la clase y alzó la voz para que todos pudieran oírle—. Dentro de un momento, voy a pulsar el botón del panel de control de la pared. Entonces, Élan pasará por la Ventana del Tiempo para entrar en la atmósfera de la Tierra y en la Condición Humana. En el mismo instante, olvidará de inmediato todo lo que le ha acontecido en este mundo. —Miró a Élan—. Ni la instrucción, ni tus amigos, ni nada de este mundo permanecerá accesible para tu memoria consciente.

—¿Quieres decir que ni siquiera te recordaré a ti? —preguntó Élan. En realidad, estaba pensando en Zendar.

—No recordarás nada de lo que existe a este lado de la Ventana del Tiempo —respondió el anciano—. Sólo recordarás lo que has estudiado de verdad, porque lo que se confía al corazón deviene accesible en caso de necesidad. —Élan le miraba sin comprender. No estaba seguro de lo que sabía. El Anciano Em añadió—: Confía en tu voluntad, Élan. Nuestra voluntad se realiza siempre en las obras que producimos.

Élan suspiró.

—Comprendo —dijo suavemente.

Aunque no estaba seguro de que sus estudios con Zendar le hubieran bastado, conocía la fuerza de su propia voluntad. Por el momento, tendría que confiar en ello.

Sensible a los sentimientos de Élan, el Anciano Em le dijo con gentileza:

—¿Estás listo para comenzar?

Élan asintió.

—El traje-cuerpo que llevas puesto, Élan, no es el que te

pondrás cuando nazcas. Pero ahora es perfecto, porque ha sido diseñado específicamente para la simulación. Tus ropas, en todo caso —dijo el anciano, señalando su traje violeta—, no te servirán en la Tierra.

El Anciano Em chascó los dedos y la ropa de Élan se transformó al instante. Quedó vestido con unos vaqueros negros, camiseta de manga larga de color azul brillante y resistentes botas de montaña. Tuvo la impresión de que le apretaban demasiado los pies.

—¿Esto es lo que llevan en la Tierra? —preguntó.

El Anciano asintió.

—¡Confía en mí! ¡Se ajustan a la perfección a tu cuerpo!

Élan se miró con curiosidad una de las muñecas. Vio que tenía un disco plano y redondo atado a ella.

—Es un reloj. Marca el tiempo de la Tierra. Se activará tan pronto como llegues al planeta. —La confusa mirada de Élan habló por él, y el anciano prosiguió—. El tiempo empleado durante vuestra instrucción no ha sido calculado en proporción directa al suyo. El reloj está preparado de acuerdo con las medidas temporales de la Tierra.

Élan asintió.

—Pero... debe de haber centenares de pequeñas diferencias. ¿Cómo voy a llegar a dominarlas?

—No te preocupes por esas cuestiones básicas, Élan. Ya te dirá tu cuerpo cuándo debes dormir y comer. Todo el saber esencial de la Tierra está sembrado en la unidad de almacenamiento mental de tu traje-cuerpo. Conocerás incluso el idioma y los rudimentos de la etiqueta de los países donde te encuentres. De hecho, parecerá como si estuvieras familiarizado con la Tierra. El objetivo de esta simulación no es enseñar las características físicas de la Tierra, ni el idioma y costumbres de los humanos. Cuando hayáis nacido, todas estas cosas se os darán de forma natural durante vuestro proceso de crecimiento. El propósito de la simulación no es otro que proporcionaros una oportunidad de hacer frente y derrotar algunos de los mayores obstáculos que impiden que una persona se transforme en amor activo. Hablando en metáfora, hallarás retos y superarás obstáculos en esta búsqueda que tiene la Cueva de la Compasión por meta.

El anciano miró a Élan a los ojos, y la tensa espalda de éste se relajó. Aquellos ojos transmitían una paz que Élan jamás había experimentado.

—Tu amor y tus enseñanzas darán fruto, Anciano Em —dijo el joven en voz baja—. ¡Te lo prometo!

—Bastará con que hagas lo que puedas, Élan. —Conmovido por las palabras de su alumno, lo agarró afectuosamente por el brazo—. Todos te acompañaremos vía transmisión. Experimentaremos los mismos retos y también tus sentimientos, como si fueran los nuestros. —Se volvió hacia el resto de la clase y añadió—: Mientras Élan viva su aventura, participaremos de su conciencia. Nuestras mentes se fundirán con la suya.

El rostro de Élan se distendió; se había tranquilizado visiblemente al oír aquello.

Abrazándole, el anciano le dijo en voz baja:

—Tienes que amar tu misión, Élan, porque, en cuanto entres en la atmósfera de la Tierra, tu amnesia se intensificará. Las condiciones de allí abajo trabajarán en todos los sentidos para impedir que alcances tu meta.

—No permitirás que me pierda, ¿verdad? —De pronto, Élan se sentía con el corazón en un puño.

—No, Élan, todo irá bien —le respondió el Anciano Em para infundirle coraje y, al reconocer la aprensión en su rostro, añadió, con serena convicción—: Esta vez soy yo quien hace promesas. —Su voz tuvo un efecto apaciguador.

Élan suspiró reconfortado.

—Bien, estoy listo.

El Anciano Em asintió y extendió la mano hacia el botón de la pared.

—Recuerda quién eres, Élan —susurró.

En cuanto pulsó el botón, hubo un chasquido y una explosión de luz en la sala, y la figura de Élan empezó a desdibujarse ante los ojos de todos. Zendar ahogó un grito. El lugar que Élan había ocupado un momento antes estaba vacío. Su amigo había desaparecido.

4

El río

Los alumnos se sintieron como si de repente los hubieran catapultado sobre el paisaje, propulsados por alas voladoras. Al instante, extensos horizontes con montañas, valles y corrientes de agua se materializaron sobre ellos en la vívida transmisión tridimensional. Un tonificante sentimiento de entusiasmo y de expectación se adueñó de todos ellos, a la vez que la sucesión de imágenes se aceleraba y una electrizante ráfaga de viento sacudía la sala.

Bajaron hacia los valles, se remontaron por encima de montañas de cimas nevadas y se deslizaron sobre los océanos. Iban pasando imágenes en colores cristalinos, como un millar de sombras verdes y azules, al mismo tiempo que vívidos contornos de color magenta aparecían en el horizonte y se reflejaban en las arenas del desierto. Tiempo y desplazamiento se igualaron en velocidad. En pocos instantes, el brillante día se transformó en violácea noche, y luego de nuevo en día, y experimentaron la secuencia del tiempo en la Tierra con gran aceleración.

Al poco, los bosques y prados empezaron a tomar forma, cuando Élan se materializó muy por encima del suelo. Flotó por unos instantes y luego descendió lentamente hasta la Tierra. Dando tumbos y rodando por el suelo, se deleitó con las sensaciones que experimentaba su cuerpo sobre la hierba fresca. Tumbado boca abajo, quedó hipnotizado por los aromas de la Tierra. Nunca había olido nada igual. Volviéndose panza arriba, contempló el firmamento azul en las alturas.

El aula parecía estar cargada de electricidad, pues los espectadores se mezclaban con la escena; todos participaban de la alegría de Élan; todos tomaban parte en sus sentimientos. El aroma del paisaje terrestre se les subía a la cabeza.

Élan, que de repente se sentía solo, se acercó a un viejo tocón y se sentó en él, para poder sopesar con calma las difíciles circunstancias a las que se enfrentaba.

—Qué lugar tan extraño y bello. Pero ¿dónde estoy? —se preguntó, mientras contemplaba el paisaje que tenía en derredor—. ¿Y cómo he llegado hasta aquí?

En algún rincón de su escasa memoria, en los márgenes de su visión interior, percibió una gran esfera verdiazul que flotaba en el espacio, pero no fue capaz de ordenar sus sensaciones. Mientras ponderaba la situación, se vio por casualidad las manos y los brazos, y le arrastró por dentro un irresistible torrente de amor. Algo había en la belleza de su cuerpo que le hacía sentirse bien.

«No importa a qué se deban estas sensaciones, ni quién sea yo», pensó, y volvió a prestar atención con alegría a lo que tenía delante de los ojos.

A sus pies, y en toda la extensión que sus ojos alcanzaban a contemplar, había pequeñas flores amarillas que adornaban la pradera y cubrían las onduladas colinas verdes hasta varios kilómetros de distancia. Divisó en la lejanía una vasta y esplendorosa inmensidad azul y, todavía más lejos, una montaña que se erguía hacia el azulado cielo.

Al ver la elevada montaña, cuya cúspide se desvanecía en ocasiones, oculta por una sucesión de nubes blancas que flotaban en torno a su cima, apareció en su corazón un sentimiento sutil, como la melodía de una canción suave. Élan volvió el rostro en la dirección opuesta y, al instante, perdió energía interior. Cuando de nuevo se volvió hacia la montaña, sintió una vez más la suave sensación; parecía como si la alta montaña lo estuviera llamando.

Perplejo por aquel sentimiento de atracción, probó una y otra vez, y comprobó que se intensificaba o reducía según la dirección en que mirara.

«Esa montaña me llama», pensó, y finalmente se rindió a la llamada que le cosquilleaba en el oído interior y le arrastraba amablemente por el corazón. Al ponerse en marcha hacia la montaña, se sintió como si le hubieran estado engatusando con dulzura. Sueños ilusorios danzaban por los márgenes de su consciencia y acrecentaban su sensibilidad.

El sol de media mañana parecía hacerse reflejo de la alegría de la aventura y aparecía una y otra vez entre las nubecillas a la deriva. Los colores del aula se volvieron más brillantes, pues estaban cargados del espíritu de la misión. Empleando la montaña a modo de señal indicadora, Élan anduvo por arboledas y trepó por las suaves colinas que adornaban el lugar.

Cuando el sol ya se acercaba a su cenit, Élan llegó por fin a un camino polvoriento. Caluroso y sudado, y con los zapatos sucios después de la caminata, decidió seguir por el camino, resuelto a llegar a la montaña. Entonces, los que le acompañaban en su viaje desde el aula se sintieron más relajados. El grupo que estaba en la sala empezó a sentirse más seguro de sí mismo, mientras, en la transmisión, Élan andaba por las praderas.

De pronto, una extraña energía perforó el velo de serenidad que cubría la sala. Abandonando violentamente su letargia, toda la clase volvió a fijarse en la transmisión, en la que aparecía Élan acercándose a las orillas de un río ancho, con muchos meandros.

Ante los ojos de todos, Élan se arrodilló a orillas del río y tomó agua con ambas manos para acercársela a los labios. Desde su aventajada posición, vieron que la gran masa de agua avanzaba en interminables meandros por el valle. Élan tendría que atravesarla para llegar hasta la montaña.

Al contemplar la elevación, que se erguía a lo lejos, al otro lado de la corriente de agua, Élan sintió que le flaqueaban las piernas. Ya llevaba horas caminando. ¡Estaba exhausto y la montaña seguía demasiado lejos! Las gotas de sudor le brillaron en la frente. De todos modos, ¿por qué había pensado que debía ir a la montaña? Sólo por haber sentido una llamada, que en ningún momento le había indicado que estuviera aguardando una respuesta. En todo caso, aquello había sido una ilusión de su mente. No podía alcanzar su meta. De hecho, no había meta alguna. Además, las piernas le ardían después de la caminata y la montaña no parecía más cercana que por la mañana, cuando había empezado a andar. Parecía como si fuera retrocediendo.

—Eso es —pensó—. La montaña no me está llamando. —Se encogió de hombros, como para expulsar aquel pensamiento de su mente—. Sólo estoy experimentando mi propia locura; probablemente he estado imaginando cosas. —Sacudió la cabeza con decisión—. Puedo hacer lo que yo quiera con mi vida, no tengo por qué ir allí.

Arrojándose agua a la cara, se pasó los dedos mojados por el cabello rubio y lacio, corto, para alisarlo sobre la cabeza. Una desagradable mezcla de sudor y agua le resbaló por las mejillas mientras contemplaba el horizonte que quedaba a su izquierda. Densas y amenazadoras nubes negras se juntaban en el cielo meridional. Se estaba preparando una tormenta.

«Está claro lo que me indica ese signo —pensó—. Tengo que retroceder.»

Cuando Élan se volvió para ver la montaña, una ráfaga de viento agitó los árboles al otro lado del río. Lo percibió una vez más: aquel sentimiento que le tiraba del corazón, la ligereza, el ritmo sutil, semejante a una melodía interior. Tal vez no debiera volver atrás. Quizá debiera seguir adelante. Al fin y al cabo, había algo mágico en la majestad de la montaña. «Tiene algo«, pensó. Sentía su atracción, aunque no la entendiera.

—Debo intentarlo —murmuró por fin, y se puso en marcha por el estrecho sendero de tierra que bordeaba el río.

Caminaba con agilidad y buscaba con la mirada, por los parajes rocosos, un vado para cruzar a la otra orilla. Inclinándose de vez en cuando para pasar por debajo de una rama baja, Élan anduvo con vigor, escudriñando las márgenes del río en su camino. Aquí y allá había rocas que sobresalían de la fangosa ribera, pero el río seguía siendo ancho y difícil de cruzar.

Cuando se metía por unos matorrales, con el fin de rodear un peñasco que cortaba el sendero, los ecos de un poderoso trueno surcaron el aire. Trepando a un otero que le quedaba a la derecha, Élan observó que las densas nubes grises empezaban a ocultar el sol, engullendo los últimos retazos de cielo azul; en la lejanía, habían comenzado a precipitarse las pesadas lluvias. Un olor acre impregnó la atmósfera, anunciando la inminente llegada de la tempestad.

Cuando Élan se volvió hacia el río, una fuerte ráfaga de viento agitó las aguas en un frenesí de espuma. Si quería vadearlo, tendría que hacerlo de inmediato.

Mirando en derredor, descubrió un gran leño medio enterrado en un montículo de tierra a su derecha.

«Esto servirá —pensó—. Con esto podré pasar el río.» Agarró una sólida rama cercana y trepó por el terraplén. El trueno restalló y rugió en lo alto, mientras él hincaba la rama bajo uno de los extremos del leño para hacer palanca. El viento comenzó a gemir, le penetró bajo la camisa y le pegó los cabellos a la cabeza. Élan no podía evitar un sentimiento de desolación. Se sentía vacío y solo, pero tenía que luchar.

Entonces, empezaron a caer gruesas gotas de lluvia que le azotaron el rostro, al tiempo que él cargaba con todo su peso contra la rama. El leño comenzó a moverse lentamente. Tras enjugarse el agua de los ojos con la manga, Élan se encorvó y tiró de la rama con todas sus fuerzas. El leño empezó a soltarse. Con sus últimas energías, se agachó y dio un tirón. El leño se salió de su sitio, se movió y finalmente se soltó y bajó rodando por el montículo hasta el agua.

Como empujado por una poderosa fuerza, Élan lo siguió corriendo por el terraplén hasta llegar al río. Cuando se acercó a las frías y embravecidas aguas de la orilla, se le aceleró el corazón. Los tejanos húmedos se le pegaban al cuerpo y le pesaban en sus intentos por subirse al leño. El viento aullaba y arrastraba la lluvia en opacas cortinas. Los rayos estallaban erráticamente como una gigantesca y ensordecedora lámpara estroboscópica, y esporádicamente daban al gélido río una fantasmagórica y fugaz translucidez.

Élan se agarró con fuerza al leño y trató de ganar impulso dando una patada a un gran peñasco de la orilla. En ese mismo momento, las aguas se agitaron violentamente, fuera de todo control, y sus líquidas garras le arrebataron el madero. Élan levantó la mano en un último intento por aferrar el leño que se le escapaba y su cuerpo desapareció bajo la superficie.

Justin se levantó de un salto, como si alguien le hubiera arrancado de la silla de un tirón.

—¿Qué estás haciendo, Anciano Em? Eso no es una simulación. ¡Va a ahogarse!

—Observa —le respondió el anciano.

—¿Que le observe mientras se ahoga?

—No saques tus conclusiones con tanta precipitación, Justin. Observa...

El trueno retumbó en el aula, impidiendo que se oyeran las palabras del anciano; el río se alzó con furia y levantó a su víctima hasta la superficie. Durante un instante, un quebrado relámpago iluminó los atormentados rasgos de Élan, que estaba luchando por tomar aire por entre las embravecidas aguas. Sus ojos contemplaban hipnóticamente la lejana orilla. Sus labios trataban de hablar entre los jadeos. La clase no le oía en medio del estrépito del agua y el viento, pero Zendar, que observaba con atención a su amigo, creyó poder leerle en los labios estas rotas sílabas: re-cuer-da... re-cuer-da...

Entonces, Élan fue arrastrado por la salvaje turbulencia; el río se abalanzó, levantó su maltrecho cuerpo y lo arrojó contra una de las rocas que sobresalían de la alejada orilla. Al girar en un cerrado meandro, un agudísimo dolor desgarró el pecho de Élan, empujado por la tremenda fuerza del agua que se desbordaba por las márgenes. «Oh, Dios, ¿dónde estás ahora?» Las palabras de Élan desaparecieron en el ensordecedor rugido de las revueltas aguas, pues el remolino del meandro devenía en contracorriente, y el peso de los pantalones lo arrastró a un torbellino que giraba hacia las profundidades.

—Por favor, ayúdame —le gritó al invisible Dios.

Al hacerlo, tragó agua de nuevo y fue arrastrado una vez más por los remolinos. Élan sintió como si los pulmones le fueran a estallar. En un último y frenético intento, logró doblar las piernas hasta el pecho al tocar fondo, y empleando toda la fuerza de su cuerpo, se propulsó hacia arriba, a un ángulo de cuarenta y cinco grados, con lo que abandonó la contracorriente y emergió de las aguas, debatiéndose con violencia y respirando entre jadeos.

A pocos metros de allí, río abajo, había un gran árbol que crecía sobre la ribera opuesta. Sus ramas colgaban sobre una roca plana que sobresalía de la orilla. Élan nadó hacia allí y se agarró a una de sus mohosas ramas. El río rugía con primitiva violencia y los dedos del joven no pudieron sujetarse a algo tan resbaladizo. Desesperadamente, se agarró a la siguiente rama y, al hacerlo, pidió ayuda en silencio.

Al instante, una suave y familiar melodía se filtró en su mente semiconsciente, y sus manos hallaron su objetivo. Élan se aferró con fuerza a la rama y se fue acercando a la orilla, centímetro a centímetro. El río arremetió con salvajismo, trataba de arrastrarlo, y en lo alto resonaba el trueno. Poco a poco, fue avanzando. Cuando por fin sintió la fría superficie de la roca bajo el vientre, todos sus músculos se tensaron. Con un último empujón, Élan se arrastró hasta salir del agua por el liso bloque de piedra, al pie del enlodado terraplén. El viento gemía y convertía la lluvia en una opaca cortina, y mientras tanto él pugnaba por seguir adelante. Agarrándose a una de las raíces del árbol, se arrastró hasta ponerse a salvo y se desplomó exhausto en la orilla.

Al despertar, se encontró con la mano derecha rígida, dolorosamente aferrada a la nudosa raíz. Tras ayudarse con la izquierda para abrir aquel torturado puño, Élan se quedó tumbado, incapaz de moverse. Le dolía el pecho y tenía todos los músculos martirizados por el esfuerzo de la batalla. Cuando finalmente miró en derredor, se encontró con un gran árbol que crecía hasta sobresalir del terraplén. El cielo retumbaba en lo alto, y el viento aullaba y le azotaba el rostro mientras él se arrastraba por la ladera hasta el tronco. Demasiado cansado para hacer nada más, se acurrucó al pie del árbol, entre sus grandes raíces, y cayó en un profundo sueño.

Zendar se soltó por fin de los bordes de su pupitre. Tenía húmedas las palmas de las manos y el corazón acelerado. Justin miró de reojo a Ashley y se arrellanó en el asiento, débil tras su primer encuentro con el mundo. Como le reconocía la tensión en los hombros, sabía que la joven estaba turbada, pero los pensamientos de ésta quedaban ocultos bajo su apariencia reservada.

Jaron miró en derredor por el aula. Todas las caras habían palidecido. Brooke se había recostado con todo su peso en el respaldo de su silla. Le dolía la espalda y tenía los brazos rígidos de tanto esfuerzo. Pasaron unos instantes antes de que se oyera un suspiro de alivio por toda la sala. Según la transmisión que veían en lo alto, Élan estaba durmiendo. El primer día de retos en la Tierra había por fin acabado y todos estaban exhaustos.

5

El corazón herido de la Tierra

Élan hizo una mueca; sus células habían empezado a remolecularizarse delante de la clase. Sentía violentos martillazos en la cabeza y espasmos en los hombros.

—¿Dónde estoy? —dijo, y contempló inexpresivamente el mar de rostros que le estaba observando.

Zendar se puso en pie como si lo hubieran levantado de un tirón.

—Élan, soy yo, Zendar —dijo, y salió por entre las filas de pupitres para unirse a su amigo.

Élan se estremeció y trató de recordar lo que le había sucedido. ¿Todo aquello había sido un sueño? Se sentía hueco, disminuido por la grandeza y la intensidad de sus alucinaciones. Trastornado, miró a Zendar sin mostrar reacción alguna.

Entonces, Élan se fijó en sus propios brazos. Tenía rasguños y moretones, y el puño derecho seguía cerrado. Confuso, examinó su propio cuerpo. Aún vestía la ropa terrestre, rasgada y sucia del fango de la prueba. Entonces, no había sido un sueño.

Al notar la confusión de Élan, Zendar vaciló.

—¿Estás bien?

—En realidad, no. —Élan palideció y se esforzó por comprender cuanto había ocurrido—. Lo de allá abajo ha sido horrible. Me veía arrastrado una y otra vez a la resignación y la tristeza. —Miró al suelo, abstraído.

—Ocurre algo muy grave —susurró en el momento en que, lentamente, empezó a reconocer a su amigo.

—No te entiendo.

—No puedo librarme de la sensación de que la Tierra corre peligro.

Los dolidos ojos de Élan daban muestras de haber recobrado la capacidad de reconocer a otros.

—¿De qué manera?

El Anciano Em, que estaba siguiendo con interés aquella interacción desde cerca de la puerta, se asomó a ésta para ver lo que ocurría en el pasillo. Justin apareció por el corredor y entró en la clase, dando a entender con sus gestos que lamentaba llegar tarde. El Anciano Em asintió y cerró la puerta en cuanto hubo entrado.

Notando la sorpresa de Élan, le dijo:

—Nos hemos permitido un breve reposo mientras tú dormías en la transmisión. Sigue, Élan.

Tratando de mirar a los ojos del anciano, Élan prosiguió.

—Hasta ahora no había empezado a organizar mis sentimientos —dijo, y al decir esto se volvió hacia Zendar. Por sus ojos, parecía angustiado—. No logré mi objetivo allí abajo. Estuve demasiado ocupado luchando contra el río.

—Sólo era una metáfora —exclamó Justin, sentándose en una silla vacía de la última fila.

—Ojalá lo hubiera sabido antes. —El rostro de Élan parecía distante, ausente—. Yo creí que me ahogaba de verdad.

—Yo también lo pensé —añadió Justin, con ironía.

—Pero no se trata sólo de eso, Justin —dijo Élan—. A pesar de toda la belleza de la Tierra, tengo el presentimiento de que algo funciona mal.

—¿Por qué dices eso? —le preguntó Justin.

—Durante todo el tiempo que he pasado allá abajo, luchando como mecánicamente por mi vida, sentía la presencia de un mensaje no formulado. Había algo que trataba de comunicarse entre los renglones de mi experiencia.

—¿Como qué? —le preguntó Ashley desde la tercera fila. Los músculos de su espalda seguían rígidos desde el incidente.

Élan se volvió hacia ella.

—No estoy seguro, pero hay algo que sí sé: lo que hice no consistió tan sólo en atravesar un río durante una tormenta. Aquello contenía un mensaje, aunque yo no pudiera leerlo.

—Ahora toda la clase le prestaba atención, pero ni siquiera Zendar podía echarle una mano. Élan era el único que había estado en la Tierra. Presentía el misterio que se oculta entre las fibras de la experiencia humana—. Tuvo algo que ver con la intensidad de la tormenta. Los elementos estaban airados.

—Élan se miró las magulladuras de los brazos—. No era sólo una tormenta —concluyó—. Estaba cargada de rabia. Estaba cargada de descontrol.

—Tienes razón, Élan.

El Anciano Em asintió pensativo al interrumpir el diálogo que se había establecido entre sus alumnos. No había esperado una diagnosis tan temprana y precisa, pero decidió aprovecharla. Estaba satisfecho con la claridad de entendimiento de Élan.

—Tu intuición es precisa, amigo mío —dijo, saliendo de nuevo al frente de la clase—. La percepción de Élan es correcta. —Se dirigió a todo el grupo con voz sombría—. El planeta Tierra —dijo pausadamente—, con toda su pasmosa belleza, sufre en este mismo momento una disimulada lucha por la supervivencia.

Se oyó un murmullo por toda la sala.

—Así, ¿ésa es la razón del programa de entrenamiento?

—Sí, ésa es, y también de la sensación de apremio que padecéis en nuestras sesiones. ¿Por qué no os sentáis tú y Zendar? —le dijo a Élan, señalando su propio asiento y otra silla que estaba al lado de la mesa—. He traído a un invitado especial a nuestra clase. Nos ayudará a comprender vuestras extrañas sensaciones.

Cuando Élan y Zendar se hubieron sentado, el Anciano Em apuntó al espacio que quedaba vacío al lado de su propia mesa.

—Por favor —dijo, inclinando levemente la cabeza—, sé bienvenido, Raoul. —Cuando dijo estas palabras, un cálido torrente inundó la atmósfera del aula—. Raoul también es miembro del Comité de Acogida Planetario de la Tierra —añadió, al mismo tiempo que una imponente figura se materializaba delante de todos.

Raoul habitaba un traje-cuerpo, pero con ropas diferentes. Una túnica gris le cubría desde la ancha espalda hasta los pies. Levantando suavemente los brazos, se quitó la capucha y mostró la cabeza y el tupido cabello castaño. Cuando se inclinó ante la clase en señal de agradecimiento, Élan olvidó su dolor. El porte de Raoul le había cautivado.

Todos estaban en silencio. Un aura rodeaba a Raoul, un campo de luz vibrante que lo circundaba. Ocupaba toda el aula con su presencia e inspiraba una espontánea tensión amorosa. Su gentileza era obvia, pero no sólo eso. En su presencia, uno sentía amor universal.

—Gracias. —La voz de Raoul tenía el rico timbre que sólo se adquiere con la sabiduría—. Élan tiene razón —dijo—. La tempestad que se ha producido en la simulación de Élan era mucho más que una tempestad. —Sus oscuros ojos estaban llenos de empatía—. No se trataba sólo de un evento singular, dispuesto en un escenario de paz y de tranquilidad terrestres. De hecho, esa tormenta era síntoma de la gran agitación que reina allí por doquier. Representaba a todas las condiciones climáticas que ahora mismo están descontrolándose en el planeta. Permitidme que os lo explique.

La voz de Raoul, amable pero firme, transmitía el peso de la completa autoridad en sus paseos por delante de la clase. Élan estaba subyugado. Jamás había experimentado tanta energía; la quietud en el centro del movimiento parecía apuntar a un tremendo poder sostenido por las alas del invencible amor.

Raoul chascó los dedos y una imagen del planeta Tierra apareció en lo alto.

—Las gentes de la Tierra han perdido de vista su verdadera naturaleza. Han olvidado quiénes son y qué significa ser humano. —Al tiempo que hablaba, una larga y quebrada fisura apareció en el centro de la imagen, justo debajo de la superficie de los océanos.

Élan sintió una fuerte punzada al contemplar la desgarradora lesión que atravesaba el corazón del planeta y descoloría a su paso los océanos y continentes. Un hervor febril le ardía en el pecho y los brazos, y notaba un vacío en el estómago. Era el mismo sentimiento de desolación que había sentido para sus adentros durante su experiencia en la Tierra.

—El corazón del Planeta Tierra ha sido destrozado por sus habitantes —dijo Raoul—. En cada uno de los continentes, los bosques están siendo allanados y devastados. La capa de ozono sufre cada día y los océanos se contaminan. El equilibrio de la cadena de alimentación natural de la Tierra pende ahora de un hilo muy fino, porque se están extinguiendo especies enteras.

Al escuchar a Raoul, toda el aula se ensombreció.

—La vida sin amor es algo muerto. Así pues, todos los desequilibrios de la naturaleza se producen en función de los desequilibrios del hombre. La conducta egoísta y antropocéntrica del hombre ha provocado una reacción. Las condiciones climáticas de la tierra son un reflejo de su corazón roto. Los cambios climáticos violentos y las catástrofes naturales se suceden en el planeta. La actividad volcánica se está intensificando y cada vez hay más terremotos. Hay más huracanes y tornados, y la tormenta que habéis visto en la simulación es sólo una del número siempre creciente de súbitas riadas que están inundando áreas de todo el mundo.

Raoul prosiguió, caminando ahora entre las hileras de pupitres.

—Es en los corazones de los habitantes de la Tierra donde ha ido transmitiéndose la brecha, generación tras generación. Ni los árboles, ni el viento, ni el mar, ni ninguno de los elementos de la naturaleza tiene esa brecha en su interior. Como la luna que refleja la luz del sol, la naturaleza refleja la energía de la dominación, el aislamiento y el dolor del hombre —dijo, y mientras hablaba señaló el corazón del planeta—. Es el hombre quien ha creado esta situación, y es el hombre quien debe ponerle remedio en la Tierra.

»Hasta ahora, los hombres que habían logrado sanar su propio corazón roto se escondían o se retiraban. Porque, hasta el período de tiempo actual, el mundo no ha comprendido ni valorado a los dulces e inocentes. Los de corazón puro se vieron obligados a ocultarse. Tuvieron que hacer su trabajo en secreto, lejos de las leyes del mundo. —Raoul levantó ambos brazos y cambió marcadamente de tono de voz al proseguir—. Sin embargo —dijo—, las tendencias reinantes en la Tierra están empezando a invertirse.

Cuando dijo estas palabras, se notó cierto alivio en el aula.

—Vais a entrar en el mundo en un tiempo muy oportuno. Es el momento del gran despertar. En este preciso momento se halla la posibilidad de curación del corazón humano, el restablecimiento de la confianza y el renacimiento de las maravillas del planeta Tierra. —Raoul calló por unos momentos—. Toda la naturaleza está aguardando esa cura —añadió, meditabundo—, porque la naturaleza sólo se curará cuando los seres humanos empiecen a curarse. —Raoul salió de nuevo delante de la clase y se encaró con todo el grupo.

—Vuestra misión es la de convertiros en amor activo incondicional —prosiguió entonces con voz más suave—. Veréis, cada uno de los que se curan a sí mismos se suman a la curación de la totalidad. Esto empieza y termina en cada uno de nosotros.

Al mirar a los grandes ojos oscuros de Raoul, Élan se sintió como si hubiera estado de pie al borde de un universo insondable. Estos ojos, penetrantes pero inusitadamente gentiles, le arrastraban el corazón. Pero Élan ya no se sentía seguro. Había conocido las energías de la Tierra y, esta vez, no fue tan rápido en comprometerse. Desgarrado por su propia confrontación interior, se volvió hacia otro lado, incapaz de sostener la firme mirada de Raoul. En el planeta, había experimentado dolor y también alegría, si bien sólo por un breve lapso, y ya no podía entregarse por completo a aquello. Dolía demasiado.

Mirando en derredor, Élan vio que la tristeza estaba desapareciendo del rostro de sus amigos. Aún sentían los temblores de la Tierra, pero sus roles individuales se aclaraban por fin. La cuestión del compromiso no parecía abrumar al resto del grupo de la misma manera que a él.

Raoul chascó los dedos y toda el aula se amedrentó una vez más. Élan levantó los ojos para ver la imagen de la Tierra, que comenzaba a disolverse lentamente. La reemplazó un rollo de pergamino, y mientras Élan lo contemplaba con temor reverencial, el rollo se abrió. Se podía leer:

Vuestra misión en la Tierra
es vivir la ley
de la compasión,
y cuando cientos,
e incluso miles,
lleguen a su meta por fin,
el corazón del planeta
se curará para siempre

—¿Cómo podemos hacerlo? —La voz de Justin rompió el silencio—. ¿De verdad puede importar tanto lo que haga una sola persona? —Élan sonrió para sí; no era el único que tenía dudas.

—Una, y otra, y otra. —La respuesta de Raoul fue rítmica y repetitiva—. La masa crítica... —Raoul no terminó la frase—. El gran despertar se producirá con la ayuda de todos nosotros. Las energías individuales de uno, y otro, y otro, se sumarán. —Hablaba con voz resonante—. Podremos inclinar la balanza de la historia si cada uno y cada una de nosotros hace su parte.

—Pero ¿qué hay de las simulaciones? —preguntó Jaron—. ¿Seguiremos tratando de hallar la cueva?

—Por supuesto —le respondió Raoul—. Porque esa cueva representa el sitio donde mora el amor. —Pensó por unos momentos y luego añadió—: En esta primera simulación, hemos tenido que derrotar a la resignación y hemos robustecido nuestra fuerza de voluntad para poder seguir con el viaje —dijo—. En las próximas simulaciones, nos enfrentaremos a la misión de convertirnos en incondicional amor activo mediante situaciones que iremos encontrando y que sólo el amor podrá solucionar.

Exhausto como consecuencia de su aventura, Élan miró con aprensión a Zendar, que estaba sentado cerca de él, al lado de la pared. Su rostro parecía rígido, como abstraído en la contemplación del suelo. Apretaba la mandíbula con la fuerza de sus pensamientos. Sintiendo súbitamente la mirada de Élan, irguió levemente la cabeza y le guiñó el ojo con cautela para que el resto de la clase no lo notara. Élan se sintió aliviado; al menos, Zendar no flaqueaba. Todavía necesitaba de su coraje. Le daba fuerzas incluso en momentos de confusión personal.

Raoul se acercó al pupitre de Jaron y le miró a la cara con sus ojos oscuros y burlones.

—En las simulaciones futuras, tropezaremos con pérdidas de poder personal que nos dejarán indefensos en el planeta. Aprenderemos a distinguir al ser de luz que está enterrado bajo la personalidad, moldeado por la influencia de los padres y el condicionamiento social. Más adelante, descubriremos lo que les ocurre a quienes carecen de vínculos familiares sólidos cuando viven la vida sin hallarle sentido ni propósito. Aprenderemos a amar sin esperar amor a cambio y conoceremos procedimientos para apuntalar al ente, y no a su conducta.

—¿Cómo vamos a hacer todo esto? —preguntó Jaron. Por su voz, parecía sentirse desbordado.

—A través del estudio de los nueve Mantras de Matos contenidos en el manual —le respondió Raoul—. La palabra *matos* procede de la antigua Grecia, una cultura que reinó en el planeta hace siglos. Matos, literalmente, significa «con buena voluntad» o, simplemente, «buena voluntad».

Raoul habló más pausadamente para resaltar lo que entonces dijo.

—El libre albedrío es el más grande de los dones de la Tierra. El correcto empleo de la voluntad libre es un contenido central dentro del tronco de materias del plan de estudios del planeta. Por ello, Matos encarna la preparación de la propia voluntad para un estadio de conciencia superior. —Cruzó los brazos y se apoyó, pensativo, en la mesa del Anciano Em—. La palabra *mantra* significa «consejo» o «plegaria». Proviene de la India, de una antigua cultura que todavía existe.

»Así, los Mantras de Matos son plegarias de buena voluntad, que ayudan a despertar de la amnesia de la Tierra —dijo Raoul—. Existe una poderosa colección de plegarias, reunidas a partir de una serie de antiguos manuscritos. Cada una de ellas está pensada, específicamente, para ayudar a quien la rece a contemplar con mayor claridad la bella joya del espíritu que le aguarda en su propio interior.

El Anciano Em, que había estado observando el aula desde su silla, en un rincón de la parte de delante, se puso en pie y se acercó a su colega.

—Los manuscritos de donde provienen los mantras forman parte de la antigua gloria de civilizaciones pasadas, escondidas por todo el mundo. Veréis, cada uno de los grandes maestros de la Tierra llevó una parte de nuestro mensaje a la humanidad. A lo largo de las eras, la meta de estos grandes seres ha sido la de elevar la conciencia de los humanos. Nacidos en diferentes países, confiaron sus enseñanzas a grupos distintos. Los alumnos que les habían sobrevivido escribieron en tablillas o pergaminos sus instrucciones para el despertar y los almacenaron en cuevas y cámaras secretas, en las tierras donde vivían.

»Ahora, a fin de poner en marcha nuestro plan para la evolución de la conciencia, hemos reunido las más elevadas de estas enseñanzas por todos los continentes —dijo—. Merced a este programa de aprendizaje previo al nacimiento, acarrearéis durante vuestra vida la esencia de nuestro mensaje a la humanidad, y esto tendrá como consecuencia una multiplicación del amor que se hará sentir por todo el mundo.

»Tal como antes os ha comentado Raoul —siguió diciendo—, hay nueve mantras. Por ahora, vuestra misión será la de dominar los tres primeros. Leedlos y profundizad en ellos hasta que los comprendáis. Entonces, confiadlos a vuestro corazón, y así os prepararéis para la próxima simulación.

Sin recibir respuesta alguna por parte de los alumnos, Raoul inclinó levemente la cabeza ante ellos.

—El Anciano Em tiene razón. Sois un grupo muy especial —dijo—. Entiendo por qué se os seleccionó a vosotros para participar en el plan. Sé que lo haréis bien.

Cuando Raoul empezó a disolverse, la atmósfera crepitó con fuerza.

—Que os vaya bien en vuestro entrenamiento —dijo al desaparecer, y dejó solo al Anciano Em delante de la clase.

El anciano parecía pensativo. Élan notó que incluso él había sentido algo en presencia de Raoul, y se estremeció. Deseó que Raoul no se hubiera marchado. ¿Qué era aquel embrujo, aquella misteriosa atracción que experimentaba en su presencia? ¿Por qué sentía una simpatía tan personal por él, por qué le atraía tanto su calor personal? Por un momento, Élan lamentó su experiencia en la Tierra. «Si pudiera volver a ser inocente», pensó. Jamás había sentido un amor semejante ni una devoción parecida. Aquellos sentimientos eran nuevos para él. Nunca se había sentido cautivado en un mero instante. «¿Quién eres, Raoul?», pensó, y se preguntó cuándo volverían a encontrarse.

6

Buena voluntad

El dormitorio era pequeño; apenas si medía nueve metros cuadrados. Tras bañarse y ponerse de nuevo el traje de color violeta, Élan echó a andar de un lado para otro; recorría la habitación en tres zancadas. Tenía las manos entrelazadas con fuerza a la espalda y la cabeza gacha, sumido en profunda contemplación. Aparte de las breves inspiraciones que se intercalaban entre sus pensamientos, respiraba con lentitud, es decir, casi no respiraba. Detectaba automáticamente las paredes que limitaban la habitación y se volvía cada vez que llegaba a la frontera de su pequeño territorio. Su mente no prestaba atención a nada de cuanto le rodeaba, se hallaba intensamente concentrado.

Las imágenes se sucedían con rapidez en su ojo interior: la primera visión de la Tierra y de toda su belleza... la primera vez que había visto formas humanas saltando en el aire... su percepción de la voluntad... el sueño de Zendar... la Tierra y su horrible herida... el dolor desgarrador que había sentido dentro de sí.

«Esto es imposible», pensó Élan, a la par que se miraba las manos, las cuales todavía conservaban las laceraciones que se había hecho en el planeta. Sintió el aislamiento y el vacío... el viento que gemía en derredor... y el río que lo engullía con violencia. Vio a Raoul... su potente vitalidad, nacida de su profunda serenidad interior... Raoul... Sus ojos, semejantes a pozos profundos, se habían quedado grabados en su memoria... su voz, resonante, rítmica... «Una, y otra, y otra...»

—Yo no —dijo en voz alta. Jamás había pasado por tantos altibajos en tan poco tiempo. La profusión de emociones le desconcertaba—. No puedo hacerlo, Raoul —dijo. Con un único día en la Tierra, ya había tenido bastante—. No puedo volver allí. —Élan se detuvo en medio de la habitación y se volvió hacia la ventana. Había tomado una decisión—. Mañana se lo haré saber al Anciano Em —se dijo resueltamente—. Iré a buscarlo antes de clase y le contaré que he cambiado de opinión.

Con pausados movimientos, abrió las cortinas y miró por el cristal de la ventana. Se preguntó en qué lugar se encontraría Rhea. ¿Qué aspecto debía de tener? ¿Habría conocido la misma sensación de vaciedad que Élan estaba experimentando? «¿Dónde estás?», susurró, y escudriñó la opaca masa gris que ocupaba la atmósfera al otro lado de la ventana. Nubes densas y turbias se arremolinaron en callada respuesta a sus pensamientos. Santo Dios, cómo sufría por ella. Lo habría dado todo por poder hablarle una vez más. ¿Conocería el dolor de la Tierra? ¿Lo estaría viviendo? Una violenta tristeza asaltó su corazón y lo arrastró hasta los límites de la cordura.

Sumido en la contemplación de las brumas, Élan perdió toda consciencia de la habitación y de la ventana. Su respiración era casi imperceptible, sus imágenes de Rhea lo abrumaban. Aturdido por la aventura en la Tierra, su corazón la añoraba. Si hubiera podido verla, habrían hablado como siempre y ella le habría comprendido, como siempre.

Perdido en sus recuerdos, Élan contemplaba el vacío con la mirada fija. Rhea... no existía el espacio que los separaba, ni el tiempo. Rhea...

En cuanto su mente se rindió al amor que sentía por ella, un torbellino empezó a girar en medio de la concentración de vapores. Al poco, la bruma se enrareció y se formaron en su centro algunas volutas de color blanco. Como si Élan hubiera querido adentrarse en los éteres, una pequeña abertura se formó lentamente entre las nubes. Al principio parecía un pequeño agujero de luz azul, y finalmente se expandió hasta medir treinta centímetros de diámetro.

En el remolino central, más allá de su alcance, empezaron a tomar forma nebulosas apariciones. Élan se inclinó hacia la ventana y bizqueó en un intento por distinguir lo que había allí. Las formas le eludían, pero las sensaciones no. Rhea se hallaba entre las vaporosas imágenes. Sentía su energía, de la misma manera que antes había sentido la de Zendar. «Ven conmigo, Rhea.» La intensidad de su mismo anhelo le consumía. Respiraba con esfuerzo, como si hubiera tenido que arrastrarla fuera de las brumas. «Ven conmigo —repetía, con la frente pegada al cristal—, ven conmigo una vez más, Rhea.»

De súbito, la puerta se abrió a sus espaldas. Al instante, Élan vaciló en su concentración y el agujero se llenó; una vez más, la ventana quedó blanca por completo. Al volverse, el joven tenía la piel tan blanca como la ventana.

—Hola —dijo Zendar, vacilante, al fijarse en el aspecto de Élan—. Lo siento —se disculpó torpemente, deseando no haber abierto la puerta—. No he querido sobresaltarte —murmuró, y entró paso a paso en la habitación.

Élan se encogió al ver que su amigo dejaba el manual en un extremo de la cama.

—¿Qué ha ocurrido? —preguntó Zendar, al tiempo que buscaba algún indicio en el pálido rostro de Élan.

—Era Rhea —Élan miraba inexpresivamente al suelo y trataba de recordar lo que había sentido.

—¿Dónde?

—Allí fuera —dijo, señalando con el brazo—. Detrás de la ventana.

—¿La has visto?

—No, pero la he sentido.

—¿Qué te ha ocurrido exactamente? —Zendar hablaba con gentileza, con timidez.

—En realidad, no estoy seguro. —Las manos le temblaban a Élan—. Todo ha sucedido con tanta rapidez...

—Empecemos por el final de la clase. ¿Qué te ha ocurrido después de que abandonaras el aula?

Élan sacudió la cabeza, tratando de recordar cómo había llegado a aquello. Al moverse con excesiva brusquedad, aún sentía como unas sordas palpitaciones.

—Oh, ya recuerdo —dijo lentamente—. Después de mi visita a la Tierra estaba turbado. Entre eso y la desgarradora energía del planeta, me quedé vacío, angustiado. Me sentí solitario y asustado. Pensé en Rhea, y tuve el deseo de hablar con ella una vez más. —Élan se puso en pie y se acercó a la ventana—. Ya sabes cómo solíamos hablar, Zen.

Zendar sonrió al acordarse del tiempo en que los tres habían querido encontrarse en la Tierra. Ahora se preguntaba si lo conseguirían.

Élan, dándole la espalda a Zendar, miraba por la ventana y seguía hablando.

—Yo suelo venir aquí y paso mucho rato mirando por la ventana, sabiendo que Rhea se encuentra allí afuera. Pero la ventana siempre está envuelta en brumas. Siempre me ha ocultado sus secretos, hasta el día de hoy. —Se volvió una vez más hacia Zendar—. Hace un rato, mientras miraba por la ventana, se ha abierto un agujero, y en su centro refulgían imágenes borrosas. Y entonces, he sentido la energía de Rhea. Yo estaba como hipnotizado. Sentía como si ella se estuviera acercando a mí, y yo casi pensaba que podría cogerla y meterla dentro. —Hizo un gesto de resignación—. Entonces, has entrado tú.

Élan se volvió y se sentó en los pies de la cama, frente a la ventana. Zendar asintió con complicidad.

Pasó un momento. Zendar tenía la cabeza gacha, callaba, luchaba consigo mismo y se lamentaba de haber entrado; no sabía qué hacer. Algo le había dicho que esperara, pero él estaba tan ansioso por ver a su amigo que el deseo se había impuesto a los sentimientos. Se juró no permitir nunca que aquello se repitiera.

—Élan —dijo por fin, decidido a hacer algo—, ¿tú confías en el plan?

—¿Qué quieres decir? —Élan no le comprendía.

—Quiero decir que si confías en Raoul y en el Anciano Em, y en el Comité.

—Creo que sí. ¿Adónde quieres ir a parar?

Sin dejar de hablar, Zendar se sentó al lado de su amigo.

—¿Crees que saben lo que están haciendo?

—Bueno, sí. —Al menos, lo había creído hasta aquella mañana. Élan se preguntó adónde querría llegar Zendar.

—Bien, ¿y confías en el plan que han elaborado?

—¡Por supuesto que sí!

—¿Confías en el proceso?

—¿En qué proceso?

—En el proceso de la vida.

—¡Pero venga, Zen, pues claro que sí!

—¡Bien, si confías en los ancianos, y en el plan, y en el proceso de la vida, es que no vacilas en nada! —Zendar hizo un gesto con las manos, como soltándose de algo—. ¿Por qué no renuncias?

—¿A qué? —Élan no le entendía—. ¿A Rhea? —le preguntó, horrorizado.

—No, a Rhea no. ¡Ni siquiera es necesario que renuncies a Rhea, Élan!

—Entonces, ¿a qué? —Élan estaba totalmente perplejo.

—A tratar de controlar el proceso.

—Oh, hablas de eso. —Élan se encogió de hombros y miró al suelo—. Ya he renunciado.

—¿Qué quieres decir?

—Que yo no voy.

—¿Qué quieres decir con eso de que no vas?

—He decidido abandonar el programa. —Élan lo dijo con gran énfasis—. No quiero colaborar en ese plan.

—Espera un momento —Zendar sacudía la cabeza y trataba de comprender—. Hace un momento decías que anhelabas ver a Rhea, ¿y ahora abandonas el plan? —Gesticuló con ambas manos—. Ahora soy *yo* quien se siente confuso.

—Esto no tiene nada que ver con Rhea —afirmó Élan—. Y no tienes por qué sentirte confuso. Es asunto mío. ¡Es mi mente la que decide —señaló teatralmente su propia cabeza—, y ha decidido cambiar de opinión! No quiero nacer.

—¡¿Qué?! —gritó Zendar atónito—. ¡Espera, Élan, no puedes hacer eso! Fuiste tú quien tuvo la idea de convertirse en un gran ser humano. Y después de conseguir que me interesara por esto, ahora me dices que no quieres ir.

—¡Eso es!

—No lo comprendo.

—Si entonces hubiera sabido lo que sé ahora, no me habría presentado. —Élan se mostraba insistente—. ¡Ahí abajo tendremos que enfrentarnos a muchas cosas!

—¡Así que ése es el motivo! —dijo Zendar.

—¡Sí, ése es el motivo!

—¡¿Me estás diciendo que tu respuesta ante un reto es la rendición?!

—¡Sí! —Élan soltó aliento, aliviado—. Ya me he rendido. Lo he dejado. ¡No voy a ir!

Zendar no podía dar crédito a sus oídos.

—Hace un momento querías convertirte en el mejor de los seres humanos, y ahora, después de tropezar con la primera dificultad, quieres abandonarlo todo.

—De todos modos, era un sueño necio.

—Ese sueño al que llamas «necio», Élan, es el único por el que vale la pena luchar. Tú me lo enseñaste. Fuiste tú quien me inspiró.

—Pues bien, me equivoqué, Zendar. No sabía nada de la Tierra. Nunca había bajado hasta allí.

—¡Oh! —Zendar tuvo una repentina iluminación y volvió a sentarse bruscamente—. Ya lo entiendo —dijo con voz suave—. La resignación habla por ti.

—¿Qué quieres decir? —Élan se volvió y, dubitativo, miró a Zendar.

—No eres tú quien está hablando. Tú no te rendirías. —Zendar lo sabía con certeza—. ¡La resignación se ha adueñado de ti, Élan!

—Eso no es cierto. Soy yo, Élan, quien te habla. —Se dio una palmada en el pecho—. He sido yo quien ha tomado esta decisión. ¡Abandono!

—Élan, basta. —Zendar se sentía dolido. Tenía que poder hablar con su amigo—. Ahora serás tú quien me escuche —dijo, y agarró a Élan por los hombros—. Yo te aprecio, Élan, y esa voz que estoy oyendo no es la tuya. Es la voz de la resignación. Cada una de tus palabras y cada una de tus frases hieden a desesperanza. Raoul y el Anciano Em estaban hablando de esto. No teníamos que encontrarla sólo en la simulación. Está aquí. La simulación fue fácil comparada con esto. Tenemos que vencer nosotros solos a la resignación... ¡aquí y ahora! —Calló por unos momentos—. La verdadera prueba es ésta, Élan, no la que encontraste en la simulación. ¡Es *ésta*!

—¿Qué quieres decir? —Élan se volvió para mirar a Zendar.

—¿No lo entiendes? —Zendar le dio una palmada en el brazo a su amigo—. La simulación era sólo eso, una simulación. Ahora estás pasando por la prueba de verdad. —Cogió su manual y buscó la primera página—. Mira esto —le dijo, señalándole las palabras introductorias en negrita—. ¡Lee! —gritó.

—Ya lo estoy leyendo —le respondió Élan.

—¡En voz alta!

Élan nunca había visto tanta firmeza en su amigo. Obedientemente, leyó el texto con voz clara y pausada.

Al cerrar el libro, Élan miró avergonzado a su amigo.

—La resignación forma parte del ego, ¿verdad? —Zendar asintió en respuesta—. Yo creía que la decisión sólo había sido mía. Iba a rendirme —suspiró—. Era mi ego el que me hacía rendirme, ¿no es cierto?

—Eso creo.

—Iba a renunciar incluso a Rhea. Estaba dispuesto a abandonar el plan. El Anciano Em, Raoul... —Élan negó con la cabeza—. Creo que me había vuelto loco.

Zendar sonrió.

—La resignación es locura. ¡Nos hace cometer disparates!

—La quiero tanto... —La voz se le quebró; se dejó caer sobre la cama.

—Lo sé, Élan.

Zendar calló y pensó en ambos.

—¿Crees que volveremos a estar juntos?

—Probablemente.

—¿Y por qué lo crees?

—El amor sabe lograr lo que pretende.

—Estoy muy abatido desde que bajé a la Tierra —añadió Élan—. Ya no sé de qué puedo estar seguro.

—Sólo tendrás problemas si necesitas de tu experiencia para alimentar tu fe —le respondió Zendar—. Pero si te vales tan sólo de tu fe, tus plegarias brotarán de un corazón puro. —Zendar estaba pensativo—. Ése es un aspecto interesante de las plegarias. Las que proceden de un corazón puro suelen hallar respuesta.

Élan miró a su amigo. ¿Qué era lo que tenía Zendar? Siempre parecía decir las palabras correctas. Siempre le reconfortaba.

—Gracias —dijo suavemente—. Creo que aún me queda mucho por aprender. —Élan miró al suelo, pensando en el río—. Lo de allí abajo es muy doloroso, Zen. No lo experimenté como un reto.

—Probablemente, por culpa de la amnesia —le sugirió Zendar—. No podemos infravalorar sus efectos. Creo que eso es lo que trataban de decirnos, a su manera, el Anciano Em y Raoul.

—¡Supongo que es eso! —exclamó de pronto Élan—. Seguro que olvidé quién era yo.

—¡Lo has olvidado hasta este mismo momento! —Zendar sonrió con ironía.

Élan contempló como su amigo se levantaba y se desperezaba.

—No me lo recuerdes, Zen. —Los músculos aún le dolían de la aventura, pero no le importaba—. ¿Qué haremos ahora? —añadió, mientras se sentaba en la ventana. Aún era su sitio favorito, y ahora, además, el lugar estaba relacionado con Rhea. Apoyó las piernas cruzadas en la repisa.

—¿Qué hay del manual?

Élan asintió.

—Dame el mío, ¿quieres?

Zendar le dio el manual a Élan y ambos empezaron a pasar páginas en busca de lo que les interesaba. Zendar fue el primero en hallar la página.

—¿Quieres que lea yo?

—Sí, empieza. Ya lo he encontrado.

• • •

Los Mantras de Matos

Plegarias de buena voluntad por el Despertar de la Conciencia en la Tierra

Acuérdate
(1)

«Acuérdate de Recordar» es una llamada al despertar para todos los seres humanos que viven en la Tierra. Acuérdate de Recordar quién eres, es decir, de recordar que tú eres un espíritu que vive en un cuerpo físico. Acuérdate de Recordar por qué estás aquí, o sea, de recordar que tu meta en la Tierra es el amor incondicional.

Eres un espíritu que habita materia. El cuerpo es una cáscara, una carcasa exterior, un vehículo en el que vivimos mientras nos hallamos en la Tierra. Entrena tu visión para ver por dentro; concéntrate en la energía que se oculta bajo la superficie. Reconcentra sin cesar tu atención en la raíz, y no en el tallo, y así acabarás por condicionar tu mente para que vaya más allá de las apariencias físicas.

Escucha
(2)

¡Escucha! Hay una canción en toda alma, que canta como una fuente en el corazón de toda vida. Escucha la canción de tu propia vida. Muéstrate siempre sensible con su llamada. Cuando estés atrapado en las tormentas de la vida, su dulce son plateado te guiará hasta el hogar. Su *tono interno, al resonar, te mantendrá en sintonía con la verdad y te ayudará a corregirte en tu camino.*

Sigue la canción de tu propia vida. Pídele consejo y te guiará. Renuévate en su corriente interior y te inspirará, te instruirá y te elevará. Abre el corazón a tu canción pura, porque ella te llevará hasta tu meta y hasta el cumplimiento de tu destino.

Pide

(3)

Pide ayuda. Pide soluciones. Pide que te guíen. Pide que te orienten. Pide que te apoyen. Pide que se satisfagan tus necesidades.

A causa del Factor Libre Albedrío, Uno aguarda a la entrada del escenario de la vida hasta que lo invitan a entrar. Cuando pidas, habrás abierto la puerta, y el Uno podrá asistirte en tu viaje vital.

Pedir es una de las mitades del mantra; la otra mitad consiste en tener la buena voluntad de recibir. Atiende y mantente siempre alerta, porque cuando el universo responde, tal vez lo haga en un idioma de pequeñas sincronizaciones que te guíen hacia una solución. Pide poder saber que viene a ti una respuesta. Y entonces, tienes que estar alerta para apresarla.

Élan se sentía incrédulo. Aquellos mantras compendiaban toda su experiencia en la Tierra. Al cerrar el libro, rogó en silencio no volver a olvidar quién era.

7

Sueños rotos

Al llegar los alumnos, el Anciano Em estaba discretamente apoyado en la pared, detrás de su mesa. Cuando Élan y Zendar entraron en el aula, manual en mano, los observó con atención. Esta vez, ambos llegaban temprano. Parecían distintos; más centrados y reflexivos en su fuero interno. Zendar señaló un par de asientos vacíos en la tercera fila, y Élan se sentó calladamente al lado de su amigo.

El anciano notó que este último parecía estar especialmente entregado a la introspección. Élan siempre había tenido una luz especial, un peculiar entusiasmo, pero ahora un aura de humildad lo atemperaba. La experiencia le templaba el ánimo. Un sentido de compostura interior se filtraba por la atmósfera que le envolvía. Aquella cualidad era nueva.

Al terminar la sesión anterior, el anciano se había sentido preocupado. La simulación había resultado mucho más efectiva de lo que él mismo esperara y Élan había salido física y emocionalmente agotado de la clase. «El tiempo de integración le ha beneficiado», conjeturó el Anciano Em con secreto alivio. Élan aún no comprendía por completo la importancia del plan, pero el anciano sabía que aquella joven alma necesitaría tanto de su seguridad interior como del aplomo recién adquirido para cumplir con sus tareas en la Tierra.

Y con él estaba Zendar, siempre franco, pero con un nuevo

propósito vital que se manifestaba en sus andares. Parecía estar más poseído de sí mismo. La aventura de Élan había tenido como consecuencia que se acrecentara su resolución interior. «El Comité quedará satisfecho», pensó, notando el cambio en los dos alumnos.

Sabía, sin embargo, que todavía se hallaban en las primeras etapas de su preparación. «La verdadera prueba todavía no ha llegado», pensó. Sabía que un largo viaje aguardaba a aquellas dos almas y también a todas las demás. El éxito que tuvieran en el aula sólo podría medirse por las vidas que los aguardaban. «Todos tendrán que pasar por la prueba de vivir en la vida», se dijo. Aún quedaba mucho trabajo por hacer.

—Una vez más, bienvenidos —dijo, y avanzó hacia la clase—. ¿Cómo os va todo?

—Bien, yo he vuelto —le respondió terminantemente Élan.

—Nos alegramos de verte, Élan.

—No sabía si volvería, ¿sabes?

—¿Cómo es eso? —le preguntó el anciano, viendo que había acertado en sus temores.

—¡Aquello fue angustioso! —Élan calló por unos momentos—. Tenía que recobrarme después de mi primera experiencia en la Tierra —dijo, y al proseguir señaló a su amigo—. De no ser por Zendar, no estoy seguro de que lo hubiera logrado.

—Así, al decir que has vuelto, ¿también nos estás diciendo que volverás a presentarte voluntario? —le inquirió cáusticamente el anciano.

—Creo que, por esta vez, no. —Élan rió, y fingió generosidad—. Dejaré que otro tenga la oportunidad de madurar a partir de su propia experiencia, gracias.

—¿Cuál es el segundo reto? —preguntó Justin.

Sentía curiosidad. Fascinado por la aventura de Élan, se preguntaba cómo le saldría a él.

—El segundo reto es el Reto de los Sueños Rotos —le respondió el Anciano Em.

Jaron también seguía atentamente la conversación desde su asiento de la última fila y se preguntaba cómo podría irle en la Tierra. Aunque normalmente confiara en sí mismo, las peripecias de Élan le habían inquietado. Al volver a su dormitorio, le habían asaltado las dudas y los recelos. Finalmente, en un intento por recobrar la compostura, había tomado el manual y había memorizado todos los mantras, recitándolos en voz alta. Incluso había ido a estudiar con Brooke. Poco antes de la clase, ambos habían entablado un riguroso diálogo acerca de la aventura de Élan, poniéndola en relación con los mantras. Absorto en la conversación del anciano, se preguntaba por sus propias posibilidades de tener éxito si se presentaba voluntario.

—No sé si lo comprendo bien —exclamó de pronto—. ¿Qué son sueños rotos?

—Los sueños rotos son uno de los grandes problemas del planeta. —El Anciano Em se volvió hacia Jaron—. Todos los que viven en la Tierra han experimentado esperanzas y sueños que luego no se hacen realidad —dijo—. La cuestión es: ¿cómo hacer frente a los sueños rotos? ¿Cómo podemos aprender a seguir adelante a pesar de los contratiempos?

Avergonzándose de su precipitada intervención, Jaron miró a Brooke. Ella conocía las esperanzas y miedos del joven, así como su inseguridad, y creía en él. Durante el tiempo que habían pasado juntos antes de clase, la muchacha había podido confirmar lo que ya intuía en Jaron. Éste era extraordinariamente capaz, pero tenía que dar el primer paso para superar sus aprensiones. Le sostuvo la mirada y le animó, asintiendo casi imperceptiblemente con su cabeza de cabello castaño claro.

Jaron se estremeció brevemente, debido a la terrible responsabilidad que sentía ante la tarea que le aguardaba, y luego se volvió hacia el anciano, dispuesto a no vacilar.

—Iré —dijo en voz alta, sorprendido por su propia decisión. Se aclaró la garganta tímidamente. No había querido mostrarse tan tajante, pero tenía miedo de acabar echándose atrás—. Querría hacer la siguiente simulación —dijo, y al instante se puso en pie para acallar sus dudas.

—Muy bien, Jaron —respondió el Anciano Em, y le indicó con un gesto que saliera al frente de la clase.

Al ver que su amigo salía delante, Brooke sonrió. Conocía la sensibilidad de Jaron, pero también su fortaleza. Advertía sus capacidades aún mejor que él mismo, y le deseó suerte en silencio cuando él se volvía hacia la clase.

—Cada una de las simulaciones comenzará donde terminó la anterior. —El Anciano Em le dio una palmada en el hombro a Jaron—. Llegarás a la Tierra a poca distancia del río que Élan cruzó. El conocimiento es acumulativo y la meta es la misma en todas las simulaciones. —Entonces, Jaron se miró dubitativamente el traje de color violeta—. Ah, por supuesto —añadió el anciano, apartándose de su alumno—, tus nuevas ropas.

Élan sonrió para sí, recordando la aprensión que él mismo había sentido delante de la clase. Jaron ya estaba vestido con ropas terrestres: pantalones de sarga de color azul claro y camisa blanca de algodón, de manga corta. En la muñeca izquierda llevaba el disco circular, ya familiar, que indicaba el tiempo de la Tierra. Élan se frotó el brazo, pensativo, viéndolo todo desde la tercera fila.

—¿Alguna pregunta?

—Ahora mismo, no. —Jaron se volvió hacia Brooke, quien le ofreció su apoyo con un suave gesto—. Probablemente, tendré alguna cuando esté allí abajo —dijo, mirando al anciano a los ojos.

—Así pues, ¿estás dispuesto? —El Anciano Em le sostuvo la mirada.

—No podría llegar a estarlo más que ahora. —Jaron asintió, algo vacilante todavía, pero decidido a hacerlo. Quería ir y, gracias al coraje que le infundía Brooke, había recobrado la confianza en sí mismo.

—Basta con que lo hagas tan bien como puedas y confíes en el proceso. —Mientras hablaba, el Anciano Em se acercó al panel frontal—. Llegarás a la Tierra por la mañana. Que tengas un buen día. —Entonces, el anciano pulsó el botón y la electricidad chisporroteó en la atmósfera.

La clase presenció cómo Jaron se disolvía lentamente en un torbellino luminoso de color lavanda. Apareció una escena matutina. El hechizo color índigo de la noche se agrietaba por una alargada franja de plata a lo largo del horizonte, justo detrás de la montaña. Rayos iridiscentes, anaranjados y rosados, brotaron de la fisura y cubrieron la tierra en el mismo momento en que Jaron aparecía en la pantalla; su figura, solitaria, estaba de pie en lo alto de una colina, en un extenso prado de flores amarillas que la luz de la mañana salpicaba de coral. El alba colmó los sentidos de Jaron. Éste no había experimentado nunca tantas sensaciones al mismo tiempo: los colores que se extendían por el campo de pequeñas flores, el aroma limpio y fresco del rocío y el canto de los pájaros que saludaban al día con sus gorjeos.

Al otear en derredor, Jaron se sintió repentinamente abrumado por un conmovedor sentimiento de soledad. No había ningún otro ser humano a la vista, sólo campos ondulados, y un río largo y tortuoso en la lejanía. Parecía que hubiera trepado al cerro y que tuviera que dirigirse a una alta montaña cuyos contornos distinguía a lo lejos.

Esforzándose por recordar dónde se hallaba y qué hacía allí, Jaron se acercó a un árbol que se hallaba al extremo del prado y se sentó en una gran raíz para meditar su situación. Desde aquel privilegiado otero, divisó trechos del río que serpenteaba abajo, por la llanura, a su izquierda. La montaña se encontraba a la derecha; su altísima cima se erguía contra el cielo oriental. Al mirar en dirección a la montaña, Jaron sintió una energía en el pecho, un insistente apremio que le obligaba a avanzar. «Eso es —pensó, poniéndose en pie bruscamente—. Aun cuando no esté seguro de dónde vengo, iré hacia allí.» Encontró una rama caída al pie del árbol y le arrancó las hojas muertas de la corteza, y así tuvo un bastón para andar, con el que empezó una animada caminata en dirección a la montaña.

El entorno captó en seguida su atención. Fascinado con cada nuevo descubrimiento, Jaron anduvo cada vez más despacio. Al ver los pájaros que volaban en lo alto, su vuelo le pareció un milagro. El viento que murmuraba entre los árboles y le acariciaba la piel le deleitaba los sentidos.

De esta manera, siguió caminando hacia la montaña. Las colinas y los valles subían o bajaban bajo sus pies, al mismo tiempo que proseguía la travesía del sol por los cielos.

Cuando la media tarde le hacía arder ya la frente, llegó por fin a la cima de lo que, aquella mañana, le había parecido un cerro lejano. A sus pies había un claro mar azul, que se extendía hasta el horizonte. En la orilla, a cierta distancia, vio un pueblo construido en la ladera que llegaba hasta el mar. Aquí y allá, la superficie de las aguas estaba salpicada de islas, y a lo lejos, se erguía la montaña. Su majestuosa cima plateada se recortaba espectacularmente a gran altura sobre el lejano horizonte.

Jaron vio un tronco muerto en la ladera y se sentó en él para descansar. Cautivado por la naturaleza, había perdido consciencia de todas sus sensaciones corporales, pero cuando se sentó, las impresiones físicas le inundaron la mente. Tenía la garganta seca y los músculos de las piernas le dolían de la caminata. Dejó el bastón apoyado en el tronco, se quitó los zapatos y se puso a hacerse masajes en los ampollados pies; entretanto, contemplaba el mar. La luz del sol danzaba en la superficie de sus aguas, las convertía en un estanque brillante de centellas de plateado azur y de cristales de esmeralda.

Mientras se frotaba los delicados pies, Jaron escrutó el mar y se preguntó cómo lo atravesaría para llegar hasta la montaña. Sabía que debía ir allí, pero no estaba seguro de cómo hacerlo. Escudriñó la ribera por la derecha, y sus ojos, finalmente, tropezaron con una figura solitaria que trabajaba cerca del agua. Parecía que estuviera restregando algo de los costados de una especie de contenedor cilíndrico.

Todavía acalorado y fatigado, Jaron recogió el bastón y empezó a bajar lentamente hasta la orilla. Anduvo hacia el hombre que había visto en la playa; las piernas le ardían. Al acercarse, vio que estaba quitándole las lapas a un viejo bote de madera. Un motor yacía sobre un alquitranado a pocos metros de allí. Se notaba que acababa de limpiarlo. El hombre se incorporó y se volvió para saludarle.

—Eh, hola —dijo. Llevaba puesto un viejo sombrero de paja de ala ancha, que le protegía la nuca y el curtido rostro del sol de la tarde—. Me llamo James —añadió, y le tendió su arrugada mano al joven.

—Yo me llamo Jaron —dijo éste, repitiendo los gestos del otro.

—¿Llevas mucho rato caminando?

—Sí, vengo desde lejos.

—¿Quieres beber un trago de agua? —preguntó, y señaló a la derecha de Jaron, donde había una gran jarra de color marrón sobre un viejo tocón de árbol.

—Gracias —dijo Jaron.

Tras dejar el bastón sobre la base del tronco, se llevó la jarra a los labios y apuró un largo trago.

—¿Qué haces aquí tú solo? —le preguntó el viejo, y apartó

el ala del sombrero para poder ver mejor la sudorosa cara de Jaron.

La piel de éste, levemente aceitunada, estaba morena. Llevaba los zapatos cubiertos de polvo y la camisa sudada. Sin duda, había recorrido un largo trecho.

—Voy hacia esa gran montaña. —Jaron se limpió el agua que le quedaba en los labios y volvió a dejar la jarra en su sitio—. Y tengo que hacer la travesía.

—Mmm —dijo el anciano, frotándose el mentón con manos bastas y correosas por los años pasados en el mar.

Estaba observando cuidadosamente al joven. No parecía preparado para escalar; ¿adónde quería ir?

—¿Qué te trae por esta comarca?

—Estoy de paso.

La sospecha le ensombreció el ademán al marinero, que prosiguió:

—¿Por qué crees que vas a poder llegar a la otra orilla, Jaron?

Éste se sintió incómodo ante el tono con que el viejo le había hecho la pregunta. Había esperado que le diera ánimos, incluso que le ayudara, pero había algo hostil en sus gestos.

—No lo sé —respondió. En aquel mismo instante decidió no excederse en su franqueza y agarró el bastón—. Supongo que me gusta la estampa de esa montaña. —Jaron le echó una mirada, aparentando indiferencia—. En todo caso, he pensado que iría a verla. Después de todo, me gusta escalar.

—¡Mmm! —James se encogió de hombros y murmuró algo entre dientes.

—¿Has dicho algo? —Apoyándose en el bastón, Jaron alzó la mano derecha para hacerse sombra en los ojos, y así miró al viejo.

—En realidad, no —respondió éste con impaciencia.

—Sí que has dicho algo, James —insistió Jaron—. ¿De qué se trataba?

—Decía que quizá te conviniera pensártelo otra vez —le respondió con aspereza.

—¿Qué es lo que tengo que pensarme otra vez? Esa montaña es bella, y yo busco aventuras.

—Bien, allí vivirás una —le respondió, irritado por la insistencia de Jaron.

—¿Qué quieres decir?

—Esa montaña no es ordinaria, hijo —contestó, señalándola con nerviosos gestos—. Se llama Akros, monte Akros. —Al decir estas palabras, la miró de soslayo, con reverencia—. Akros significa «el punto más elevado». Es la montaña más alta de toda la zona, y muchos dicen que también la más peligrosa. —Hablaba con voz apagada—. Akros, desde lejos, suscita maravillas en el alma, hijo. Muchos han partido con la intención de llegar a sus lomas. —Asintió en dirección a la montaña—. Pero cuando te acerques, la encontrarás mortífera. Sus precipicios y picos se cuentan entre los más abruptos y traicioneros del mundo. Se sabe que más de un escalador experimentado ha tenido que regresar a su falda. —Calló, y entonces añadió con énfasis—: Eso cuando llegan hasta la falda.

Enderezándose el sombrero, prosiguió:

—No, hijo, esa montaña no es para ti. ¡Querer escalarla es un sueño, la locura de un hombre joven! —Calló y le dirigió una larga mirada a Jaron, como tratando de averiguar qué intenciones llevaba—. ¡Acabarás por rendirte, como todos los demás! —murmuró, y se volvió para seguir trabajando en su bote.

—Yo no, James. Yo no soy como los demás. ¡Tengo que ir allí!

—Si dices que sólo se trata de una bella montaña, ¿por qué

es tan importante para ti? —El viejo apartó los ojos de su trabajo y miró con escepticismo al joven—. Puedo enseñarte algunas otras montañas bellas. Podrías escalarlas.

—Gracias, James, probablemente aceptaré tu oferta en algún otro momento —le respondió Jaron sin mucha convicción—. No sé por qué, pero me parece que ahora quiero ir a esa.

—Ya lo veremos —contestó el viejo, y reanudó su trabajo una vez más—. He oído a muchos que decían querer intentarlo con el Akros, pero, llegado el momento, todos le dieron la espalda con temor. —Hablaba en tono tajante, y Jaron se dio cuenta de que no quería seguir con la conversación.

Jaron se veía algo perdido, y no entendía por qué le estaba costando tanto entenderse con James. Suavizó intuitivamente sus palabras.

—Creo que tienes razón, James. Al fin y al cabo, son pocos los que han llegado al Akros y todavía menos los que han logrado escalar sus cimas. —Jaron se encogió de hombros. Se acercó al tocón y se sentó al lado de la jarra—. ¿Cómo voy a ser diferente?

—Por fin dices algo sensato. —El viejo se encogió bajo la abrasadora luz del sol—. Eres lo bastante listo como para olvidar esa montaña y seguir con vida.

Jaron miró al suelo, meditabundo.

—¿Cómo puede haber tantos peligros, James?

—¿Qué quieres decir? —El viejo se volvió inquisitivamente hacia Jaron.

—Siento como si la montaña me llamara. —Mientras hablaba, Jaron la contemplaba con nostalgia—. Pero tú me dices que a otra mucha gente le ha ocurrido lo mismo.

—Así es.

—¿Y todos volvieron atrás?

—Ajá.

—¿Tan distinto soy, James?

—¿Qué quieres decir?

—¿Soy el único que quiere darle alcance?

—¿A qué?

—A mi sueño.

—Creo que no te entiendo. —La pregunta había pillado al viejo con la guardia baja.

—¿No has tenido nunca ningún sueño, James? —El viejo se volvió hacia Jaron, que aún estaba observando la montaña sentado en el tocón—. ¿Nunca te has parado a pensar que en la vida debe de haber algo más aparte de las apariencias, un significado más profundo? ¿Nunca has anhelado nada mejor?

Hablaba de manera tan gentil que agrietó la fachada de James y llegó hasta la raíz de su experiencia.

El viejo miró a los oscuros ojos del joven y se sumió en el silencio. Asintió, pensativo, y recordó otros tiempos en los que había sido joven y había soñado.

—Por supuesto que yo también he tenido sueños —dijo—. Todos los hemos tenido. —Una lejana visión atravesó el rostro del viejo—. Amaba la aventura —dijo, sonriendo ante sus recuerdos. Contempló la lejanía y pareció que el rostro se le rejuvenecía—. Igual que tú, Jaron, creía que podría hacer cualquier cosa, que alcanzaría cualquier meta, que conseguiría todo lo que deseara. —Una luz brilló en los ojos del anciano—. En aquellos tiempos, yo era fuerte, valeroso y atrevido, y quería desafiar al mundo. —Sonrió e irguió los hombros—. En aquellos días, la vida era diferente de verdad —dijo suspirando—. Entonces, oí hablar del Akros y de la cueva. Allí había un misterio e, igual que tú, juré descubrir de qué se trataba. —De súbito, el viejo dio un respingo, como si se hubiera quemado los dedos en una llama que ardía con demasiada fuerza—. Pero entonces, yo era más joven —concluyó, y se agitó como para arrojar de sí las hebras de la memoria—. No sabía nada más.

Se volvió bruscamente hacia la barca.

—Ahora, sólo me preocupo por mi trabajo —dijo con aspereza—. Pesco en estas aguas, pero sé que no debo tratar de atravesarlas.

Jaron se estremeció. ¡La cueva! No había escuchado nada más de lo que el otro le decía. Aquellas palabras le habían producido escalofríos.

—¿Qué cueva es esa? —preguntó, poniéndose en pie de un salto.

—Nada que te importe, hijo. Incluso será mejor que olvides esta conversación.

Empuñó el cuchillo y se volvió bruscamente para terminar con su trabajo.

—Pero ¿qué ocurrió, James?

—¿Qué quieres decir? ¿A qué te refieres?

—¿Por qué te rendiste?

—Yo no me rendí. Simplemente, entendí el mensaje —le respondió con voz severa, sin mirarle.

—¿Entendiste el mensaje? ¿Y qué quieres decir con eso? —Jaron insistía—. ¿Ni siquiera trataste de llegar a la cueva?

—Por supuesto que sí.

—¿Y bien?

—¿Y bien, qué?

—Y bien, ¿qué ocurrió?

—Bueno —suspiró pausadamente y se volvió de nuevo hacia Jaron—. ¿Qué ocurrió, preguntas? —Enarcó una ceja, pensativo—. Sucedió hace mucho tiempo, Jaron. —Se encogió de hombros y movió negativamente la cabeza—. ¿No podríamos hablar de otra cosa?

—Por favor —Jaron le miraba con los ojos muy abiertos, suplicándole.

¿Qué le ocurría? James no había tenido nunca una conversación con un desconocido como aquel. Quizá porque el joven le resultaba muy familiar, como una parte de su propia juventud que se le hubiera escapado. Le parecía comprender sus anhelos.

—Bueno, había pensado mucho en ello —respondió el hombre pausadamente—. Planeé el viaje hasta el último detalle, hasta las raciones de carne seca que tendría que llevarme para la escalada. —Sonrió, recordando fugazmente los días de la preparación.

En aquellos días, su madre aún vivía. Le había ayudado, aunque incesantemente moviera la cabeza de un lado a otro y le advirtiera de los peligros que entrañan los sueños juveniles. James había pensado que eran cosas de su edad. No la había escuchado.

—¿Y entonces? —le urgió Jaron.

—Y... partí para la otra ribera.

Recordaba bien a su madre aquel día en la orilla. Llevaba puesto un delantal de color azul claro, movía el brazo en alto y le miraba todavía con preocupación, pero trataba de mostrarse valiente.

—¿Qué ocurrió? —Jaron quería saber más.

James sacudió la cabeza.

—Unas horas más tarde, la mar se embraveció y se arrojó contra mi barca, haciéndola añicos. Me hallaron medio inconsciente en la playa y me sacaron. —Se volvió y cogió las redes que tenía al otro extremo del bote—. Después, mi madre no me dijo nada más —murmuró, como para sí mismo—. No era necesario. El mensaje había quedado claro.

—¿Qué has dicho? —Jaron no había entendido sus palabras.

—Que el mensaje había quedado claro —contestó el viejo, volviendo la cabeza.

—Pero ¿qué hay de la cueva?

—¿Qué pasa con la cueva? —le dijo James ásperamente.

—¡Háblame de la cueva!

—¿Qué quieres que te cuente de la cueva? —El viejo estaba tirando rudamente de sus redes—. ¿Es que no lo entiendes? La cueva no es real. La cueva es una falsa esperanza, un espejismo para el alma sedienta.

—¿Cómo se llama? —Algo se había adueñado de Jaron; un sentimiento, un apremio. Él mismo no sabía lo que era.

—Se llama Cueva de la Compasión, pero olvídala, muchacho. Si nunca habías oído hablar de la cueva, no empieces ahora. Mi vida era mejor cuando aún la ignoraba —le respondió con sequedad.

—¿La Cueva de la Compasión? —Jaron no había oído el resto de lo que le decía. Aquel nombre le produjo escalofríos—. ¿Esa cueva se halla en alguna parte del Akros?

El viejo volvió a dejar el bote y se encaró con Jaron.

—Algunos todavía lo creen, hijo, pero otros han dicho siempre que se trata de una necia conseja. —Se encogió de hombros—. Yo creo que tienen razón. Déjalo correr, muchacho —le dijo, echándose hacia atrás el sombrero.

—No puedo. —Jaron le miraba con rostro implorante—. Por favor, ¿no quieres ayudarme? Ayúdame a llegar a la otra orilla, por favor.

—Ya te he dicho que es imposible. —James deseaba que Jaron se rindiera, como todos los demás. ¿Por qué tenía que mostrarse tan obstinado?—. Yo ya lo intenté —dijo por fin.

—Pero sólo una vez —le respondió Jaron—. Además, yo no estaba.

El viejo no pudo evitar una sonrisa. Aquel chico era tan testarudo como él mismo en otro tiempo.

—¿Y qué importa eso?

—Algunas cosas tienen que intentarse dos o tres veces hasta que se consiguen.

—Eres tozudo, ¿verdad?

El viejo miró a los ojos oscuros y separados de Jaron. A pesar de todo, el joven le gustaba. Tenía algo que inspiraba simpatía. Por un momento, le pareció contemplar un reflejo de sí mismo, tal como había sido en años pasados. Por aquel entonces, se gustaba. ¡Ojalá que alguien le hubiera ayudado a regresar a aquellos días!

—¡Quién sabe, James, puede que esta vez lo logremos si aunamos nuestras fuerzas! —Jaron notó que lo estaba ablandando.

—Bien, no lo sé —dijo—. La primera vez no lo conseguí. —Se sacó un pañuelo del bolsillo, sucio de tierra, y se limpió el sudor de la nuca.

—Pero entonces las cosas eran distintas. Inténtalo una vez más, por favor —le rogó Jaron.

—Bueno, quizás.

—Sólo tienes que llevarme a la otra orilla, por favor, James. —Jaron entendió que no podría acompañarle hasta más allá—. Sólo hasta allí, te lo prometo.

—Bueno, puedo ayudarte a pasar el mar. No voy a llevarte más lejos del lugar adonde yo llegué, y no llegué hasta la otra orilla. —Hablaba con voz pensativa—. Pero sí que llegué hasta aquellas islas —dijo, y señaló el archipiélago que afloraba en mitad de las extensas aguas—. Si te sirve de algo, puedo llevarte hasta allí. Creo que eso es todo lo que puedo hacer por ti —concedió.

—Oh, gracias, James —Jaron no pudo ocultar su contento.

—Venga. —El anciano, con amplia sonrisa, se volvió hacia el bote desgastado por los elementos.

—¿Cómo es que sonríes, James?

—Oh, no es nada. Sólo un pensamiento mío.

—¿Cuál es?

—Estaba pensando en mi madre. —Mientras lo decía, señaló el bote—: Ayúdame a ponerle el motor y lo botaremos.

—¿Qué pasa con tu madre? —Jaron fue a ayudarle con el motor.

—A veces me pregunto si, secretamente, quiso que yo ganara.

—¿Qué quieres decir? —le preguntó Jaron, agachándose para levantar la máquina.

—Bueno, vino a ver cómo me marchaba y, aunque me había aconsejado que no fuera, a veces me pregunto si no la decepcionó el que no lo lograra.

—¿Nunca te habló de eso?

—Nunca me dijo una sola palabra.

Mientras acarreaban en silencio el motor hasta la orilla, James se preguntó por el ciclo de la vida. Su hijo y su nieto aún vivían con él, en su casa. El hijo había tratado de marcharse en una ocasión, se había llevado a su vástago de dos años; se había ido y había encontrado trabajo. James había querido de verdad que su hijo saliera adelante, pero algo sucedió y el joven regresó al cabo de pocos años. «Jamás me ha explicado qué le ocurrió», pensó. Incluso cuando James le preguntaba, no quería decirle nada al respecto.

—Pero me pregunto —dijo James, quebrando finalmente el silencio mientras colocaban el motor en la popa del bote— si acaso todos los humanos no anhelan poder alcanzar sus sueños. —Mientras decía esto, vio los ojos de su joven nieto. Quizá todavía existiera la esperanza.

Jaron se detuvo y miró a los ojos al anciano. En éstos volvía a brillar la luz. Jaron había logrado conmoverle por un instante.

—Yo creo que sí, James —le dijo con voz suave—. Pero lo que de verdad cuenta es que nos comprometamos a tratar de alcanzarlos. La mayoría de la gente se rinde ante el más pequeño obstáculo.

—¿Como yo?

Sorprendido por su franqueza, Jaron asintió con dulzura.

—Probablemente, no comprendiste el proceso.

—Supongo que me sentí herido en mi orgullo cuando me encontraron inconsciente de aquella manera. —James hizo una mueca al pensar en los vecinos que, aquel día, lo habían hallado sin sentido en la orilla—. Creo que, inconscientemente, esperaba un resultado inmediato —dijo. Y añadió, pensativo—: No es tan fácil, ¿verdad?

—Normalmente, no —Jaron estaba pensativo—. Normalmente, hay que pasar por muchos pequeños fracasos en el camino hacia la meta. El secreto radica en aprender de ellos para ir mejorando en el trayecto.

James asintió.

—Pero mi fracaso fue grande.

—Tanto si es pequeño como si es grande, el fracaso siempre te enseña algo. Si de verdad estás interesado en algo, no dejes de luchar.

Ambos pasaron un rato trabajando en silencio. Levantaron el motor entre los dos y lo colocaron en su sitio. James le enseñó al joven cómo fijarlo en su lugar con las correas laterales. El bote medía tres metros de eslora y era fácil de manejar. Lo levantaron entre los dos y lo llevaron hasta las aguas superficiales de la orilla. Aferrándolo fuertemente con ambas manos, el viejo señaló la popa con la cabeza.

—Entra en el agua y yo lo empujaré —ordenó.

Aliviado al tener que hacer menos fuerza y agradecido por la ayuda, Jaron se metió dentro del agua hasta las rodillas. Se agarró al bote, trepó con los brazos y pasó una pierna por la borda. Tiró de todo su peso hasta que logró subir y arrastró torpemente el cuerpo hasta que estuvo sobre cubierta.

Habituado ya a entrar en el bote después de botarlo, el pescador lo siguió y trepó ágilmente adentro. Ambos estaban empapados hasta las caderas; pusieron en marcha el motor y salieron al mar en dirección hacia las islas.

Al principio, el mar estaba en calma y navegaron tranquilamente, sin decir palabra. James se había sentado en la popa con la mano sobre el timón. Jaron iba en la proa del bote y su oscuro cabello castaño ondeaba al viento.

En cuanto hubieron dejado atrás la boya que marcaba el cuarto de milla, el cielo comenzó a cambiar. Grandes cúmulos grises se formaron en el horizonte, algo más allá de las islas. Al poco, el humor reinante en el bote se transformó. Jaron iba mirando al viejo. El brillo había desaparecido de sus ojos y tenía la tez ceniciento. El trueno resonó de un extremo a otro de los cielos; el rostro del viejo quedó traspuesto de horror ante el recuerdo de otros tiempos. Jaron trató de comprender cuál era el sentimiento que le asomaba por los ojos. Era el de *déjá vu*. ¿Dónde había conocido ya aquellas sensaciones... el trueno, el aislamiento y la soledad, la vanidad de todo esfuerzo? Las nubes se amontonaban con rapidez y se les acercaban a toda velocidad.

Por un instante, Jaron se sintió inmerso en la duda de sí mismo. Sintió que ésta le ahogaba; que la duda le consumía. «El viejo tenía razón —pensó—. Esto es la realidad. El sueño era fútil. Las islas parecen tan lejanas...»

Al ver la tormenta que se estaba formando en los cielos, Jaron sucumbió por fin a la sensación de ahogamiento. «No vale la pena intentar el viaje. —Sintió como si le hubieran estado arrancando violentamente el aliento del pecho—. ¿Por qué no me rindo? —pensó—. Está claro que los otros que vinieron antes tenían razón.»

El viejo rompió el silencio.

—Sabía que no teníamos que venir.

—¿Qué has dicho? —Jaron se encogió, pues otro trueno acababa de sacudir el firmamento.

—He dicho que fui necio al escucharte —gritó James en el fragor.

—No te puedo oír. —Jaron negaba con la cabeza y trataba de oírle a pesar de las embestidas de las olas que se levantaban a ambos lados del bote.

—Ya lo había dicho, esto no tiene sentido —gritó James entre el estruendo.

Jaron trató de leerle los labios al viejo, que repetía lentamente las palabras en un intento de abrir un claro entre las brumas de melancolía.

—Voy a volver contigo a la orilla, hijo. Has tomado la decisión correcta. —El marinero trató de hacer virar el bote.

—Aguarda —le dijo Jaron. Había visto los movimientos del viejo entre la neblina y se arrojó sobre él—. Tenemos que luchar.

—No servirá de nada.

—¡Pero tú me lo has prometido!

—¿Qué es lo que te he prometido?

El viejo estaba impaciente. La tormenta crecía con ferocidad. ¡Aquel muchacho era estúpido!

—Llevarme hasta las islas.

—¿No ves que no lo lograremos?

—Cumple tu promesa. —La voz de Jaron era tan firme que empezó a penetrar en su propia confusión.

—Olvídate ya de tus sueños infantiles. A tu edad, la mayoría de los hombres ya han entrado en razón.

Jaron supo por instinto que tenía que conectar con su propio interior. Volviendo su atención hacia el Uno, silenció a su propia mente.

Una voz reverberaba por la periferia de su conciencia. *«Acuérdate de Recordar.»*

—¿Que me acuerde de recordar qué? —Jaron examinó en silencio aquella cuestión con el ojo de su mente. Los momentos pasaban—. Recuerda quién eres. Recuerda por qué estás aquí.

El viento gimió sobre las aguas y arrancó a un sobresaltado Jaron de su momentánea quietud. Las olas se convertían en blanca espuma que azotaba la pequeña embarcación. El viejo estaba aferrado a la borda, que se balanceaba sin cesar.

—Lo sabía —gritaba entre las olas—. No tendríamos que haber empezado este viaje. ¡Los dioses están airados!

—Basta, eso no es cierto.

Jaron se agarraba al asiento de madera que había en el centro de la cubierta, pero el azote de las olas le obligó a soltarse y lo hizo caer.

Jaron sintió súbita lucidez.

—Los dioses respaldan nuestra voluntad, pero la tuya no está alineada. Está dividida, partida en dos por tus propios miedos interiores. Cuando nosotros temblamos, el mundo tiembla con nosotros.

—¿Qué quieres decir? —gimió James.

Atrapado en la red de la prolongada amnesia, fue incapaz de seguir entendiendo la conversación.

—Acuérdate de recordar quién eres —le gritó Jaron en un último intento de hablar a la esencia de James—. Aun cuando el clima de la Tierra nos sobrepase, somos seres humanos y debemos contraatacar. Como seres humanos, somos superiores a nuestras circunstancias y muy superiores a nuestras emociones, superiores a la tristeza y a la desesperación que a veces chapotean en los extremos de nuestra mente.

La voz de Jaron dejó de oírse; un apagado son estalló en la lejanía, sobre las olas, y al instante el mar se apaciguó por completo.

Se trataba de un ritmo, de una energía que ya había sentido en otra ocasión. Cuando se les acercó, Jaron distinguió una melodía. Le llamaba hasta el centro de su ser. Abrió el corazón a su ritmo puro y suave y se le llenaron de fuerza los miembros. Enseguida, el pecho le rebosó de vigorosa energía y se le aclaró la mente. Se sintió en calma, indiferente a cuanto le rodeaba. Su mundo interior había triunfado una vez más sobre la ilusión exterior.

James todavía estaba sentado en la proa del bote, agarrado al timón. Tenía el rostro ceniciento, pero había curiosidad en sus ojos. Aturdido por la rápida sucesión de acontecimientos, contempló el cielo. Estaba despejado y, dondequiera que mirase, las aguas se hallaban en calma. Todo había sucedido con excesiva rapidez; primero la tormenta y la mar embravecida, y su sentimiento de indefensión, y luego el súbito cambio. Había oído hablar de algunos hombres con poderes místicos. Observó a Jaron con suspicacia. ¿Sería uno de ellos? ¿De dónde provenía en realidad aquel joven? ¿Y qué hacía allí?

—¿Quién eres? —le preguntó furtivamente.

—¿Que quién soy? —Jaron miró con extrañeza al viejo que se acurrucaba en la popa del bote—. Ya te lo he dicho. Soy Jaron. Mira —añadió, señalando la isla—, la isla principal ya está a la vista.

James parpadeó, nervioso, y miró adonde le indicaba Jaron. Una larga playa blanca se extendía por toda la ribera de la isla más cercana. Se hallaba a tan sólo una milla o poco más, a su izquierda.

—¿Qué ha ocurrido?

—Si de verdad quieres algo, James, tendrás que elegir y volver a elegir cada uno de los pasos en el camino que te llevará a conseguirlo. —Mientras hablaba, Jaron abandonó el sitio donde se había sentado—. Pongamos de nuevo en marcha el motor y así podrás dejarme en mi destino. —Sonrió al viejo; éste seguía en estado de shock, tratando de integrar su experiencia—. Llegarás a casa a tiempo para cenar —añadió, agarrando el estárter.

Al cabo de unos pocos intentos, el motor chisporroteó y crujió para ponerse en marcha y James lo guió hacia la playa.

Jaron oyó que, al sentarse al timón, murmuraba algo entre dientes. El resto del viaje fue fácil. Cuando llegaron a las aguas superficiales de color turquesa que circundaban la isla, el sol de la tarde arrojaba ya una trémula sombra sobre la proa del bote. Maniobrando cuidadosamente entre el coral y las rocas ocultas bajo la superficie de las aguas, James guió la embarcación hasta los bajíos.

—Ya hemos llegado —dijo, y apagó el motor—. Tendrás que mojarte, pero es que ya se hace tarde. Faltan pocas horas para el ocaso. Para entonces, ya estarás seco.

—Gracias, James, te agradezco de verdad tu ayuda.

Jaron no se movía. Sólo se oía el suave chapaleo del agua en los costados del bote. Miró a James directamente a los ojos y le estrechó la mano. El viejo le dijo:

—Pero ¿qué ha ocurrido realmente cuando estábamos allí? —Aún se sentía inseguro.

—¿Tú qué crees? —la pregunta de Jaron era retórica.

—No lo sé.

—No todo es lo que parece, James.

—Creo que tal vez debiera haberlo intentado de nuevo, hace años. —James tenía en los ojos una mirada nostálgica, remota. Se acordó una vez más de su nieto. Tal vez no fuera demasiado tarde para interrumpir el ciclo—. ¿Por eso has venido a buscarme? —preguntó con franqueza.

—¿Quién sabe? —Jaron se encogió de hombros—. Yo creía que sólo había salido por una aventura. —Contempló la montaña al sol del atardecer—. Sólo quería llegar hasta esa montaña.

Se volvió hacia el viejo. Los surcos del rostro de James parecían haberse suavizado. Jaron no estaba seguro de si esto se debía a la luz del temprano crepúsculo o al alba de una nueva sensibilidad interior, pero en todo caso, James parecía más joven, más vulnerable. Jaron también se sentía distinto. Había encontrado un amigo. La experiencia los había unido.

—Estamos conectados de alguna manera misteriosa... ¿verdad, amigo mío? —añadió suavemente, y agarró a James por el hombro—. Una vez más, gracias. No te olvidaré.

—Ni yo a ti —James hablaba con voz suave. Tomó a Jaron de la mano para ayudarlo a bajar por la borda del bote.

El agua le llegaba hasta la cintura. Jaron anduvo hacia la orilla. Al pisar las espumas de la playa, se volvió y saludó con el brazo. James ya estaba manipulando el motor. Cuando levantó los ojos por última vez, todo el lugar crepitó y crujió repentinamente. Brillaron luces en el cielo y Jaron se disolvió en un torbellino de luz delante de los ojos del viejo.

8

El mensaje de Tara

Jaron se remolecularizó en el aula prenatal. Apareció enfrente de la clase, mirándose los brazos del traje-cuerpo, en el que las células se estaban reconstituyendo. Él y la clase se dieron cuenta a la vez de lo que sucedía. Todo el grupo estalló en espontáneos aplausos, pero fue Élan quien se puso en pie y salió delante de los demás.

—Tenías razón, Élan —Jaron sintió conexión inmediata—. ¡Ahí abajo, la pérdida de identidad es asombrosa! Uno llega a olvidar de verdad quién es. —Aún estaba algo tembloroso a causa del cambio molecular—. Tenía la mente confusa y me sentía arrastrado al torbellino de la inseguridad de ese anciano. —Se fijó en Brooke, que se hallaba detrás de Élan—. Estoy seguro de que os habría echado de menos si os hubiese retenido en la memoria, pero el recuerdo de todas mis relaciones se me borró de la mente. Allí no había nada, salvo mi experiencia inmediata en la Tierra. ¡Es una limitación sorprendente! —añadió.

—Lo has hecho muy bien —respondió Élan, y abrazó a Jaron. Ahora existía una afinidad entre ambos.

—Yo he pensado lo mismo —dijo el Anciano Em desde el fondo de la sala.

—No sabría valorar mi actuación —le respondió Jaron—. Tengo que admitir que ha resultado mucho más difícil de lo que esperaba, pero lo he hecho tan bien como he podido, da-

das las circunstancias. Todavía estoy entrando y saliendo de la amnesia, aún experimento periodos de inconsciencia, y luego, momentos de usual claridad, en los que estoy completamente consciente y lúcido. —Jaron se apoyó en la mesa del anciano y siguió con su análisis—. Ahora que me doy cuenta, la conexión interna casi siempre tenía lugar cuando me hallaba falto de fuerzas y pedía ayuda.

—Pero ¿y si Jaron no se hubiera acordado de pedirla? —Brooke miraba al anciano desde su asiento de la cuarta fila; sus ojos de color castaño oscuro tenían un aire como pensativo—. ¿Se habría quedado solo?

—Jamás estaréis solos en la vida, Brooke, aunque a veces podáis sentiros solos. —El Anciano Em se acercó al pupitre de la joven—. Mientras hagáis lo correcto, siempre os veréis respaldados, pero una clave crítica para obtener ayuda es que os acordéis de pedirla. A causa del factor del libre albedrío, el Uno aguarda escondido tras el escenario de la vida hasta que se le invita a entrar.

—Pero yo creo que este proceso de aprendizaje es beneficioso, Anciano Em —afirmó Jaron—. Creo que la diferencia de percepciones entre ese viejo y yo se debía al proceso de aprendizaje. —Jaron calló por unos momentos y meditó esta distinción—. Aun cuando intermitentemente perdiera conciencia, mi resolución era más fuerte.

—¿Eso se debe al proceso de aprendizaje, Anciano Em? —dijo Élan.

—Pudiera ser —asintió el anciano, pensativo—. He estado observando vuestros momentos de claridad, en relación con vuestros fallos de memoria durante cada una de las simulaciones. Ambos lo habéis hecho bastante mejor que la mayoría de los humanos a quienes he observado.

—¿Así que también has observado a otros seres humanos? —le preguntó Élan con gran y súbito interés.

Sobresaltado por la alteración de su energía, el Anciano Em le respondió pausadamente.

—Sí —dijo, aun sin saber muy bien a qué se había referido Élan—. El Comité de Acogida está observando a muchos otros.

—¿Has observado a *los otros*?

—¿De qué otros estás hablando, Élan?

—Los otros, los que se fueron a la Tierra antes que nosotros. —El rostro de Élan expresaba dolor.

—Oh —dijo el anciano con voz suave—. Te estás refiriendo a Rhea, ¿verdad?

—La echo tanto de menos... —exclamó Élan inesperadamente—. Pienso mucho en ella desde que estamos en instrucción y no puedo evitar preguntarme cómo le irá.

—Te comprendo —le respondió el Anciano Em, con calmada seguridad—. El amor es un don muy especial —dijo—. Y tu amor por Rhea acabará por uniros de nuevo.

Zendar seguía muy atentamente las palabras del anciano. Él también echaba de menos a Rhea. Deseaba con todo el corazón que los tres amigos pudieran reunirse.

—¿Cuándo? —le insistió Élan al anciano—. ¿Cuándo volveremos a estar juntos?

—No estoy seguro. Pero el amor siempre acaba por hacerse valer. —Entonces se dirigió a toda la clase—: Sé que muchos de vosotros tenéis amigos que han partido ya.

Todos estaban escuchando con gran atención las palabras de Élan y del Anciano Em, y con interés personal.

—Permitidme que os tranquilice en lo tocante a vuestros amigos —dijo—. En casi todos los casos, vuestro amor os reunirá de nuevo. El único caso en que los amados no se encuentran se produce cuando es necesario aprender una lección en partes separadas del planeta. —El desengaño se adueñó de toda la sala—. Pero aun entonces —dijo el anciano para darles aliento—, el amor es como un imán. Cuando es lo bastante fuerte, acaba por juntar a quienes se aman. —El anciano habló entonces con firmeza—. Confiad en el proceso —dijo—. Hay un plan. Todo saldrá bien. ¡Os lo prometo!

Jaron miró de reojo a Brooke, quien estaba deseando en silencio que la amistad que sentían ambos formara parte del plan. El joven sabía que no podía estar seguro de nada, pero rogó que sus caminos llegaran a encontrarse algún día en el otro lado.

Todavía intranquilo, Élan le insistió al anciano:

—Si los estás observando, dinos, ¿cómo les va allí abajo?

—Están perdiendo conciencia intermitentemente del mismo modo que tú y Jaron, Élan. Sólo que ellos no han pasado por ninguna instrucción y tienen que sortear muchas más dificultades. —La angustia se reflejó en el rostro de Élan—. Todo les va bien. Estamos trabajando con ellos.

—¿Cómo?

—Estamos comunicándonos con ellos a través de sus sueños. —Sonrió, pensando en Tara.

Élan no era consciente de estar guiando la clase hacia la siguiente etapa de la instrucción.

—¿Qué quieres decir?

—Del mismo modo que vosotros recibís la instrucción en este lado, ellos la reciben de noche, en sueños. —El Anciano Em calló por unos momentos—. Ellos también forman parte del plan, ya me entiendes —dijo, abriendo los brazos como para abarcar toda la sala—. Ya ves que el plan es más grande que todos nosotros. Incluye a todos y cada uno de los seres humanos, tanto si éstos lo saben como si no. Cada uno es especial y cada individuo tiene una tarea particular por cumplir. Si todos lo recuerdan y cumplen bien con su parte, el plan se desarrollará a la perfección.

—Gracias —Élan se relajó; estaba apoyado en la mesa del anciano.

—Estas conversaciones ayudan a todo el mundo, Élan. —El anciano volvió al lado de su mesa, con los dos jóvenes que estaban de pie—. Acuérdate siempre de pedir. Recordad el tercer mantra —dijo, volviéndose hacia la clase—. Pedid de todo: ayuda, respuestas, soluciones. Pedidlas, porque pedir es un acto creativo que crea la energía necesaria para satisfacer vuestras necesidades. Siempre obtendréis respuestas y soluciones.

—Entonces, tengo una pregunta —Jaron miró al anciano, que ahora se hallaba delante de él, a poco más de un metro—. A mí me parece que James estaba hipnotizado por su pasado. Un fracaso singular le causó una parálisis emocional, y desde entonces, ha estado creando su presente y su futuro a partir de ese único incidente.

—Excepcional análisis, Jaron. —El anciano no había esperado un nivel de precisión tan elevado en los razonamientos de su alumno. Su satisfacción era evidente.

—Pero la pregunta es: ¿ese tipo de comportamiento es representativo de la conducta humana? Igual que Élan, yo también he sentido que la simulación tenía un significado mucho más hondo que el que aparece a primera vista.

El anciano sonrió. No habría podido pedir una mejor presentación a la unidad siguiente.

—Si volvéis a vuestros asientos —dijo, señalando a Élan y Jaron—, responderemos con mucho gusto a vuestra pregunta.

Ambos asintieron y regresaron a su sitio. Al mismo tiempo que Élan se acomodaba en su silla, al lado de Zendar, la crepitación de energía ya familiar centelleó enfrente de la clase. Una vez más, una oleada de calor impregnó la atmósfera y Raoul se materializó al lado del Anciano Em. La clase respondió a su presencia como a la de un amigo largamente esperado. Un espontáneo estallido de amor llegó a los cuatro rincones del aula.

—Dejadme que recoja el hilo conductor de la pregunta de Jaron. —Al entrar en la conversación, Raoul levantó el brazo derecho—. Las percepciones de Jaron acerca del comportamiento humano son acertadas.

Élan adelantó el rostro, fascinado una vez más por la misma energía insondable.

—En realidad, existen dos tipos de condición climática en la Tierra —prosiguió Raoul—. El primero, que habéis conocido en la simulación de Élan, es físico. El segundo, que hemos experimentado en esta última simulación, es mental-emocional. —Raoul cambió de ademán y siguió hablando, mientras el Anciano Em arrimaba su silla a la pared y se sentaba—. Pronto descubriréis que preparar a cada uno de vosotros para la atmósfera física de la Tierra ha sido lo más fácil. Tal como Jaron ha descubierto ya, nuestro mayor reto educacional es el clima mental de la Tierra.

Élan se tocó el brazo y recordó las laceraciones. Sus heridas le habían acompañado durante largo tiempo. ¿A qué podía referirse Raoul? ¿Existía un dolor aún más grande que aquel?

—Este clima mental-emocional, llamado Condición Humana, es un resultado directo del ego humano. Actuando como una lente, el ego colorea la realidad. —Raoul se acercó a Élan y Zendar; los dobladillos de su larga túnica gris se agitaban levemente cuando caminaba—. Esta lente del ego, que constituye un punto de vista altamente individualizado, desfigura la verdad de tal modo que la mayor parte de las personas pierden de vista lo que significa ser humano. Igual que James, han olvidado quiénes son en realidad y por qué se hallan en la Tierra. —Élan tuvo la sensación de que Raoul le estaba hablando directamente a él—. Como resultado, se mutilan a sí mismos y sus propias capacidades y, tal como veréis en la siguiente simulación, se mutilan unos a otros.

Con un suave gesto de muñeca, señaló a un lado. De inmediato, los éteres empezaron a condensarse. Al principio, la figura parecía hecha de sutil plata translúcida y refulgía en los límites de la realidad. Entonces, una elegante mujer se materializó ante todos ellos. Era alta y refinada, y el tupido cabello, de color castaño oscuro, algo rizado en los extremos, le caía sobre los hombros.

—Por favor, dadle la bienvenida a Tara. —Raoul le tomó la mano y se la alzó en presentación ceremonial ante el grupo. La mujer vestía una túnica larga hasta al suelo, de color marfileño, cuya seda satinada arrojó destellos al mover el brazo. Sus oscuros ojos estaban cargados de empatía—. Tara también es miembro del Comité —prosiguió Raoul—. Es la responsable del destino de los niños, y guía y aconseja a quienes trabajan con ellos. El Anciano Em y yo mismo le hemos pedido que asistiera a esta clase, a causa de nuestro interés creciente por los niños de la Tierra.

Ninguno de los miembros del grupo lo había esperado. La presencia de Tara produjo un efecto suave y apaciguador en la clase. La rodeaba un aura de paz. Élan se relajó, tocado por su amabilidad y calidez. Por un largo instante, ninguno de los que estaban en la sala se movió. Hipnotizados por la serenidad de Tara, estaban como embrujados absorbiendo aquella nueva vibración.

—Amigos míos —dijo Tara, adelantándose para hablar a todo el grupo—, he acudido ante vosotros como miembro del Comité que ha estado trabajando para asistir a los niños de la Tierra. —Tenía la voz clara, con fluida melodía. Los alumnos quedaron hechizados por completo—. Esta Condición Humana de la que os ha hablado Raoul ha ido pasando de una generación a otra mediante un proceso llamado «impresión». Así, ha ido afectando a todos los niños nacidos en el planeta.

»Hoy están naciendo más niños que nunca en la Tierra. —Tara avanzó por el pasillo central de la clase, y Élan pudo apreciar que su hermosura y gentileza se veían atemperadas por una sutil autoridad—. Bellos entes, como vosotros, entran en ese planeta buscando el saber y la madurez que se pueden obtener mediante el aprendizaje en la Tierra —dijo—. Sin embargo, antes de que esos entes tengan la oportunidad de recordar quiénes son, se ven capturados en la red de condicionamiento inconsciente. Reciben la impresión de quienes comparten con ellos el entorno y se ven incapaces de combatir la amnesia.

Tara siguió hablando con ojos dulces.

—Cuando alguno de estos jóvenes entes percibe que algo no es como debiera y trata de rebelarse, los adultos de su entorno reaccionan ante su rebelión. En vez de leer el mensaje entre líneas, los adultos reaccionan a los síntomas e ignoran la causa. Esos jóvenes necesitan ayuda, pero hay pocos que los escuchen. —Ahora, la voz de Tara estaba impregnada de autoridad y su presencia llenaba toda el aula—. Al contrario, cierran los ojos ante los problemas, los presupuestos educacionales se recortan y los fondos se invierten en otros programas. Los gobiernos hacen oídos sordos a las necesidades de los niños, y con esta conducta, destruyen el bienestar de sus naciones.

Raoul, que se hallaba al lado de Tara e iba observando las caras de los alumnos, intervino inesperadamente.

—Los adultos se ven tan enredados en la red de la inconsciencia que no ayudan a sus propios hijos. Están hipnotizados por el mismo hechizo que heredaron.

—Como James. —Jaron hablaba claro, con voz resuelta—. Estoy seguro de que su madre no tenía ninguna intención de hacerle daño. Le amaba, pero, inconscientemente, se dejó llevar por sus inseguridades y miedos. Lo hizo tan bien que James acabó por heredarlos.

—Exactamente —dijo Tara.

—Entonces, ¿has estado observando nuestras simulaciones? —le preguntó Jaron.

—Todo el Comité de Acogida os ha acompañado desde el comienzo.

—¿Y vuestra intención —dijo entonces Élan— es romper ese ciclo de transmisión?

—En realidad —Tara se volvió para hablar directamente a Élan—, el ciclo se está rompiendo ya en la Tierra, Élan, pero el nacimiento de una nueva conciencia requiere cierto tiempo. Nuestra intención es inundar el planeta de almas como tú, almas que hayan pasado por el proceso de aprendizaje y puedan mantener una firme, y esperemos que ininterrumpida, conciencia de su identidad. —Tara los fue mirando de uno en uno mientras repetía las enseñanzas del Anciano Em—. Tenéis que formaros bien, porque vuestra efectividad en el otro lado dependerá de las prácticas que realicéis aquí. Entonces, del mismo modo que Jaron ha ayudado a James, vosotros tendréis que poder ayudar a los demás con el poder de vuestra conciencia. Esto acelerará el proceso del despertar y el planeta se moverá con mayor rapidez todavía hacia la masa crítica.

La imaginación de Élan estaba cautivada.

—Así pues, hay un destino que cumplir.

—Sí, lo hay.

Tara sonrió y se volvió hacia el Anciano Em, quien, desde un extremo de la clase, seguía complacido la conversación. Ambos sabían que aquellas cualidades de entusiasmo y agudeza personal habían de convertirse algún día en los mayores dones de Élan.

—¿Muy pronto? —añadió Élan con voz suave.

—Muy pronto, Élan —confirmó Tara—, cuando hayas nacido, de hecho. Ése es el objetivo al que se encamina toda esta preparación.

—Es hora de que nos digamos adiós. —La voz de Raoul se entrometió amablemente en la conversación.

—¿Cuándo volveremos a verte? —Ashley miró a Tara, ahora de pie delante de su pupitre.

—Más tarde —respondió ella, evasivamente.

—¿Cuándo? —le insistió Ashley.

Tara sonrió ante su tenacidad.

—Trabajaré con todos vosotros durante vuestros años de formación en la Tierra. —Reflexionó por unos momentos y añadió—: Más adelante, seguiré estando con algunos de vosotros, porque guío a los que trabajan con niños.

Élan estaba callado; sus ojos garzos no perdían de vista a Tara. ¿Habría algún mensaje subliminal en sus palabras? Su propio futuro refulgió por unos momentos en los límites de su conciencia, pero no se vio capaz de alcanzarlo. ¿Qué podía entrañar? ¿Dónde lo encontraría? Vio de reojo a Zendar y se fraguó esperanzas de seguir con él. Zendar se percató de su mirada. Él también estaba sintiendo la importancia de aquel momento.

—Recordad que sois amados —dijo Tara, y sin dejar de hablar, volvió a salir al frente de la clase y se quedó al lado de Raoul.

—Y estudiad bien —añadió Raoul—, porque, tal como nuestro amigo Élan ha dicho a su manera, pronto todos vosotros entraréis en las páginas del destino.

Entonces, Raoul señaló a Tara y ambos se volvieron y se inclinaron ligeramente, a la vez, para indicar que habían concluido. Los éteres comenzaron a chispear, y Raoul y Tara empezaron a disolverse lentamente. Una luz plateada y violeta brilló a través de sus células, sus cuerpos sólidos se volvieron de color rosa translúcido y ambos desaparecieron en los éteres.

Élan reflexionó, contemplando el espacio que habían ocupado Tara y Raoul. Se preguntó si los demás habrían sentido lo mismo en su presencia. Al observar la clase en silencio, se fijó en que Brooke estaba mirando a Ashley. Las dos estaban claramente conmovidas.

Ashley alzó brevemente los ojos a modo de respuesta. La fuerza del mensaje de Tara la había afectado, porque no le había llegado desde las palabras de la mujer, sino desde su misma esencia. Rezó por ser como ella algún día.

—Ha llegado la hora del descanso. —La voz del anciano los sacó de su ensueño—. Proseguiremos cuando hayáis preparado los tres mantras siguientes.

9

La Condición Humana

—¿Qué te parece, Zen? —Élan le había sugerido que invitaran a Jaron a estudiar. Los análisis de éste habían resultado decisivos; por otro lado, tres cabezas sabrían pensar mejor que dos—. Además, puede que Jaron esté experimentando una dosis de Condición Humana y tal vez nosotros podamos ayudarlo.

—¡Es una idea genial!

—Entonces, ¿damos un rodeo?

Élan cogió del brazo a su amigo y ambos se dirigieron al cubículo de Jaron, decididos a encontrarle.

La puerta se abrió en el mismo momento en que llamaban, y se encontraron de frente con los perspicaces ojos oscuros de Jaron.

—¿Qué hacéis los dos aquí? —preguntó éste, perplejo.

—¿Y cómo es que tú has abierto la puerta con tanta presteza? —le replicó Élan.

—Iba a salir. —Jaron tenía el manual en la mano izquierda—. Acababa de agarrar el pomo en el mismo momento en que habéis llamado. —En efecto, su mano derecha aún no lo había soltado—. Me habéis pillado con la guardia baja. ¿Puedo ayudaros en algo?

—Élan ha sugerido que vinieras con nosotros —le dijo Zendar.

—¿Para estudiar? —preguntó Jaron. Zendar asintió—. Me encantaría, pero ahora iba a encontrarme con Brooke. Habíamos quedado para volver a estudiar juntos.

—Ella también puede venir —dijo Élan—. He pensado que avanzaremos más deprisa si nos juntamos dos alumnos con experiencia en la Tierra.

—¡A mí me parece bien! —Jaron sacudió la cabeza. Súbitamente pensativo, añadió—: Debo admitir que, allí abajo, llegué a encontrarme verdaderamente abatido. Si lo logré, fue por suerte o por la gracia de Dios.

—Yo me sentí igual —confirmó Élan—. ¿Algún signo de desánimo?

—Aún no. De hecho, me siento comprometido como nunca. Pero después de la prueba, no estoy nada seguro de que ninguno de nosotros pueda estudiar lo suficiente. —Jaron reflexionó durante unos momentos—. Escuchad. Voy a ver si Brooke quiere venir. Si es así, no tardaré. Si no, ya me acercaré para decíroslo.

—Bien. —asintió Élan. Y se marchó a su dormitorio con Zendar.

Jaron se fue al cuarto de Brooke, que se hallaba en dirección opuesta.

Reapareció al cabo de pocos minutos acompañado por la joven. Decididos a no perder tiempo, ambos encontraron un lugar cómodo en la habitación. Jaron se ofreció a leer en voz alta y todos se acomodaron para estudiar juntos.

• • •

LOS MANTRAS DE MATOS

Serénate
(4)

Serénate, toma aliento y viaja hacia tu interior. No vuelvas tu atención hacia el mundo. Porque, en la Tierra, el mundo mundea y la vida videa, y el ego sigue adelante con sus hábitos.

Penetra hasta lo más hondo, bajo el oleaje que agita la superficie de tu mente, y entra en la cámara secreta del corazón. Retira tu atención cada día y mora en la soledad y el silencio durante un breve periodo.

Serénate, y del silencio surgirá tu saber. Serénate, y de la quietud surgirán orientaciones para tu viaje. Serénate, y el Uno te guiará. Serénate, y recordarás quién eres, y quiénes son todos los demás que te rodean.

Ve
(5)

Ve la vida con los ojos del corazón. El ojo que ve desde el corazón tiene la aguda percepción del discernimiento, así como la suave mirada de la compasión. Esta combinación de dureza y suavidad, fuerte aunque débil, firme, pero siempre amable, le da perfecta visión al vidente.

Desarrolla el santo don de la visión interior, porque en ella yace la capacidad de reconocer la verdad, así como la capacidad de ver al Uno que mora en el corazón de todos los entes.

Dulces son las imágenes que contempla el ojo del corazón, porque está iluminado por la luz del alma.

Actúa
(6)

Actúa de tal manera que honres al todo, pues lo que tú hagas volverá a ti. La ley de causa y efecto es el sistema de control y equilibrio del universo entero.

Pregúntate a ti mismo: ¿Me gustaría que me hicieran lo que yo estoy haciendo a los demás? ¿Me gustaría que me trataran del mismo modo en que yo estoy tratando a los demás? ¿Querría que me amaran de la misma manera en que yo estoy expresando amor en estos momentos?

Si la respuesta a todas estas preguntas es «sí», entonces, ¡actúa! Actúa de manera que enriquezcas el todo, enderezes el todo y honres el todo, porque todo lo que hacemos a los demás, en realidad nos lo hacemos a nosotros mismos.

Al terminar el sexto mantra, Élan se quedó sin voz. Cerró el libro y saltó de la ventana para encararse con los demás.

—¿Quién quiere pasar por un examen, amigos míos? —dijo, y fue mirándolos uno a uno.

—Yo, por ahora, no —dijo Brooke.

Aún estaba pensando en Tara. Había algo en su presencia que la había conmovido hasta lo más hondo.

—¡Seré yo! —dijo Zendar, sin prestar atención a la reacción de Brooke.

—SERÉNATE, VE, ACTÚA... ¿Por dónde quieres comenzar? —Élan paseaba por la habitación, manual en mano.

—Yo creo que los tres están conectados. —Zendar se incorporó y cerró el manual—. Pero comenzaré por el primero.

—De acuerdo. —Élan se sentó en la repisa de la ventana y se cruzó de brazos—. Relájate, amigo mío, ¿qué significa para ti este mantra?

Jaron sonrió para sí. La amistad de aquellos dos era en verdad especial. Vio de reojo a Brooke, que estaba observando atentamente su interacción.

Zendar se cruzó de piernas y volvió el rostro hacia su amigo, quien lo estaba contemplando desde la esquina de la cama.

—Esto es profundo, Élan. —Calló y miró al suelo, como buscando el hilo conductor de sus pensamientos—. A este lado de la ventana, todo se conoce —empezó a decir pausadamente—. No existen significados ocultos. Todo se puede ver con claridad, porque todo es luz. —Zendar se puso en pie y empezó a dar vueltas por la habitación—. En la Tierra, sin embargo, no todo es visible. Me parece que, dentro de ese mundo de allí abajo, existen dos mundos distintos.

Élan parecía perplejo.

—No estoy seguro de comprender lo que estás diciendo. ¡Explícate!

Zendar seguía andando por la habitación.

—Primero, existe un mundo exterior, un mundo que, metafóricamente hablando, es ruidoso y confuso. Quiero decir que, en el mundo exterior de la Tierra, hay muchas cosas: color, sonidos, «realidad» física, por así decirlo. Este mundo exterior pugna por ganarse nuestra atención, pero la paz no procede de él. —Se detuvo al llegar a la pared y se volvió—. La paz procede del interior, del mundo que se halla dentro del corazón y de la mente del ser humano. Ése es el mundo importante, porque allí se pueden oír las respuestas y comprender las cosas.

—¿Qué tiene que ver eso con la acción de serenarse? —preguntó Élan.

—A fin de contactar con el mundo interior, se precisan dos habilidades: concentración y enfoque preciso. Ambas forman parte del cuarto mantra, «serénate». Debemos concentrarnos y detener la charla que tiene lugar dentro de nuestra mente. Luego, tenemos que saber enfocar nuestra atención hacia el interior. Todo conocimiento y sabiduría proceden de nuestra habilidad para lograrlo. Sin embargo, éste es probablemente uno de los secretos olvidados de la Tierra.

—¿Cómo sabes que eso es un secreto olvidado si ni siquiera has estado allí? —Élan sentía curiosidad.

—Bueno, os seguí en vuestras peripecias. —Al decirlo, Zendar miraba a Élan—. Y también observé con atención las reacciones de James. Hubo algo en concreto que me pareció muy evidente.

—¿De qué se trata? —preguntó Jaron.

—James había perdido todo contacto con su mundo interior. En su juventud, había estado imbuido de un sueño, pero cuando el mundo exterior le rechazó y una tormenta le frustró en sus intenciones, perdió su visión. Como olvidó renovarse en su interior, perdió la esperanza. Su rostro estaba teñido de tristeza porque ya no oía su canción interior, la canción de su propia alma.

—Tienes razón. —Escuchando a Zendar, Jaron recordó con claridad el rostro del anciano.

—Por consiguiente —dijo Zendar—, si James se serena y enfoca su atención hacia lo interior durante unos pocos momentos de cada día, no tardará en recobrar el contacto consigo mismo.

—¿Y cómo?

Todavía entusiasmada por la visita de Tara, Brooke había vuelto a la conversación.

Zendar estaba pensativo. No había previsto que le insistieran en ese punto.

—Por la meditación y la oración —respondió al fin—. Ésos son los dos métodos para apaciguar la mente de tal modo que podamos experimentar la silenciosa canción del alma, del espíritu que susurra en el interior. —Se inclinó para poder ver mejor a Brooke—. Creo que, si lo hiciera cada día, durante algún tiempo, aunque sólo fueran diez minutos, acabaríamos por encontrarnos con un hombre nuevo.

—¿En qué sentido? —preguntó Brooke, fascinada por la profundidad de percepción de Zendar.

—Creo que tendría nuevos bríos para vivir —le respondió Zendar.

—¿Incluso a su edad?

—La esperanza no tiene edad, Brooke, y volvería a prender en su corazón.

Jaron estaba impresionado.

—Eso ha estado bien, Zen. —Él también había quedado fascinado con las explicaciones de Zendar.

—Es más —prosiguió éste—, la práctica diaria habría reforzado la capacidad de James para concentrarse en momentos de crisis representados por la tormenta. Eso es lo que te ocurrió a ti, Jaron. Por un momento, has sido capaz de concentrarte y de detener tu mente. —Zendar se volvió y se sentó en la cama delante de Jaron—. Como resultado, has sido capaz de desconectar en medio del caos. Has penetrado en tu propia quietud y has detenido el mundo.

—¿Cómo sabes todo esto? —Jaron se sentía abrumado.

—Te he observado. Todo estaba escrito en tu rostro. En el momento en que has dejado de prestar atención a la tormenta y te has concentrado en interrogar a tu interior, has cortado los lazos con el mundo. Éste no tenía ya ningún poder sobre ti, y el miedo ha desaparecido de tu rostro.

Aunque la sagaz disertación de su amigo no le pillara por sorpresa, Élan bajó la mirada para que Jaron no advirtiera la profundidad de su orgullo fraternal. Zendar era su más querido camarada, siempre perspicaz, profundo y penetrante en su precisa comprensión del corazón y la mente humanos. Élan se preguntaba a menudo de dónde había sacado Zendar su poder de observación. Tal vez jamás lo supiera. Volvió a sentarse en silencio en la repisa y miró por la ventana, con el fugaz deseo de que Rhea hubiera estado allí. Ellos tres siempre se habían entendido bien. Continuamente se planteaban retos a la inteligencia, y parecía que así obtuvieran lo mejor de cada uno.

Alentado por la claridad de Zendar, Brooke se presentó voluntaria para desarrollar el quinto mantra. Describió el «ojo del corazón» como una suerte de acertijo metafórico que aludía a significados más profundos. Valiéndose del encuentro de Jaron con James como ejemplo, relacionó las percepciones de Jaron en la barca con los sentimientos y la intuición del corazón.

—Se parece a lo que compartían Tara y Raoul —concluyó—. Cuando empleamos el don de la visión interior, somos capaces de atravesar la fachada de la Condición Humana. Eso es, exactamente, lo que tú hiciste con James. Viste, tras los condicionamientos sociales, su luz interior.

»Otra cosa —añadió Brooke—. Durante tu simulación, he vacilado sin cesar. Me he sentido incómoda cuando le insistías dos veces seguidas a James. Tuviste mucho coraje.

—Por fuera. —Jaron rió—. Pero por dentro, he estado a punto de rendirme en más de una ocasión. —Al decir esto, Jaron atravesó con la mirada a Brooke—. Yo mismo he pasado por momentos de apatía. —Se sintió como si de nuevo se hubiera hallado en la barca, luchando con la tormenta y tratando de pugnar, al mismo tiempo, con las reacciones de James—. Me he impacientado con James, e incluso, en un momento determinado, he estado a punto de dejarlo todo. —Rió—. Suerte que padecía de amnesia. ¡Si hubiera sabido que me hallaba en una simulación, habría pedido que me sacaran de allí!

—Las simulaciones no se interrumpen hasta su final, ¿verdad? —dijo Élan, riendo.

—Supongo que no —concluyó Jaron.

—La mía tampoco —añadió Élan.

Jaron vio el rostro de Élan, y una vez más se sintió arrastrado por la furia de la tormenta.

—Entiendo —dijo, recordando cómo había deseado que el Anciano Em lo salvara.

—Sólo puedes escapar de la simulación siguiéndola hasta su final. —James estaba mirando fijamente al suelo—. Creo que ése es el secreto del sexto mantra, «actúa» —dijo—. Podrías actuar del mismo modo en concordancia con el más elevado de los propósitos, porque no se puede abandonar una experiencia sin vivirla hasta el final.

—Eso es lo que el anciano estaba tratando de decirle a Ashley. —La claridad de comprensión centelleó en los ojos de Brooke—. Dijo que las experiencias se repiten hasta que hemos captado la lección. —Aguardó antes de seguir hablando—. Lo llamó método de la prueba y el error.

—Imagino que hay que pasar por varios estadios para llegar a aprender lo que sea. —Jaron calló por unos momentos—. Se sigue un proceso, ¿verdad? —Miró pensativamente a Zendar y añadió—: Quizá se deba a eso la gran eficacia de la plegaria y meditación diarias que sugerías. Permite que nuestro aprendizaje y maduración se vayan produciendo por etapas.

—Parece que en la Tierra todo transcurra por procesos —dijo Zendar con voz suave. Estaba conmovido.

Brooke no decía nada. Élan miró por la ventana. Sintió que entendía en lo más hondo. Jaron contemplaba la pared. Reinaba completo silencio en la habitación. Durante largo rato, nadie habló. Todos sentían su propia afinidad con los demás.

Élan cerró la puerta después de que Jaron y Brooke hubieron salido.

—Qué almas más especiales —dijo—. Este intercambio ha sido magnífico.

—Mucho mejor de lo que habría podido imaginar —corroboró Zendar—. Me alegro de que lo sugirieras.

Se acercó hacia la ventana y miró afuera, ensimismado en sus pensamientos.

—Inténtalo.

—¿Qué?

—La repisa de la ventana —dijo Élan. Zendar le miró confuso—. Venga —dijo, sentándose en la cama.

Zendar se subió a la repisa donde solía sentarse Élan y recogió ambas piernas sobre el marco de la ventana, mirando en dirección al lecho.

—No me extraña que te guste este lugar —dijo, mirando a través del cristal—. Aquí se siente uno muy seguro.

—Es realmente especial —confirmó Élan, asintiendo con la cabeza.

Por escasos instantes, ambos se perdieron en sus pensamientos. De pronto, Élan sintió el alejamiento de Zendar y se volvió hacia él. Lo halló con los ojos vidriosos y la mirada ausente. No pudo evitar observarle con detenimiento. El perfil de Zendar era maravilloso: nariz perfectamente recta y mandíbula firme. Aun vistos de lado, sus ojos comunicaban energía.

Élan se preguntó adónde se habría marchado mentalmente su amigo. Sintiendo su mirada, Zendar suspiró y se volvió.

—Estaba visualizando una vida perfecta —dijo—. Me agradaría entregarme al servicio.

Élan sentía lo mismo.

—Eso sería bello —afirmó. Ser capaz de expresar el amor que sentía; ésa habría sido la alegría más pura. Tenía el corazón repleto y quería compartir con otros esa plenitud—. Me pregunto cómo debe de ser una vida de servicio.

—Aún no sé cómo es, pero la siento.

—Tal vez, si leemos el texto una vez más, lo comprendamos mejor.

—Hagámoslo.

Ambos se pusieron en pie para desperezarse y volvieron a sus sitios habituales. Élan regresó a su ventana y Zendar se tumbó sobre la cama. Ambos comenzaron a leer.

10

Muchachos de la calle

Élan levantó la vista cuando el Anciano Em entró en el aula pocos minutos después. Ahora, el anciano vestía una túnica gris que le llegaba hasta los pies, idéntica a la que había llevado Raoul. Élan no podía dejar de mirarle. ¡Qué distinto era su porte! Sus cabellos de plata le caían bellamente en torno al rostro hasta los bordes de la capucha. Todo contribuía a que sus pasmosos ojos verdes y suaves resaltaran. Cuando el anciano volvió el rostro hacia la luz, parecieron iridiscentes. Élan sentía un temor reverencial, porque estaba contemplando por primera vez lo que jamás había visto.

El Anciano Em no era el típico profesor. Aquel extraordinario ente había vestido el traje violeta hasta entonces para que sus alumnos se sintieran cómodos durante las primeras fases de la instrucción. Había deseado ser uno de ellos durante la primera y difícil etapa en que habrían de recubrirse con un traje-cuerpo.

Todos los ojos siguieron los movimientos del anciano. Salvo por el suave frufrú del faldón de su túnica, un profundo silencio reinaba en la sala. Élan se volvió para verle la cara a Jaron. Lo encontró igualmente cautivado; contemplaba en éxtasis los paseos del anciano por la habitación.

Plenamente consciente del impacto que había tenido su cambio de vestuario, el Anciano Em midió sus movimientos.

Antes de proseguir con la lección, fue hablando en voz baja con diversos alumnos al pasar entre los pupitres. Finalmente, se situó delante de la clase, al lado de su propia mesa, y se dirigió a todo el grupo.

—¿Queréis hacer alguna pregunta sobre los nuevos mantras antes de que pasemos a la siguiente parte de la instrucción? —Se fijó en Ashley, que estaba mirando al suelo—. ¿Qué te parece a ti, Ashley? —Se acercó a ella.

Ashley levantó sus ojos incrédulos, abiertos como platos, al verlo delante de su pupitre. ¿Acaso el anciano le leía los pensamientos? Desde la visita de Tara, había querido ofrecerse para una simulación.

—No tengo ninguna pregunta, Anciano Em.

—Pero ¿quieres ir? —dijo el anciano para alentarla, y le tendió la mano.

—Sí —le respondió Ashley con voz suave, y aceptó su mano.

Al fin y al cabo, había estudiado a fondo cada una de las lecciones y las había confiado todas a su memoria. Secretamente, abrigaba la esperanza de poder mantener la imperturbable concentración de que les había hablado Tara.

—Entonces, ven.

Cuando se puso en pie, el Anciano Em le estrujó la mano con ternura, y ambos salieron delante de toda la clase.

Justin estaba siguiendo con agudo interés lo que ocurría. Al ver que ambos salían delante de la clase, se sintió vacilar.

—Anciano Em —exclamó con ímpetu.

—¿Sí, Justin?

—¿Vas a enviar a Ashley allí abajo sola?

—Bueno, ésa es la idea.

—¿Cómo es posible?

Ashley le miró estupefacta. Hasta aquel momento, nunca se había fijado en Justin.

—¿Qué quieres decir con lo de «cómo es posible»? —le

preguntó el Anciano Em, sorprendido—. ¿Tienes alguna otra sugerencia?

—Bien, los demás no hemos tenido ninguna oportunidad de presentarnos voluntarios —Justin parecía sentirse desdeñado.

—¿Querías ir tú?

El anciano miró a Ashley, quien le respondió con un casi imperceptible asentimiento de aquiescencia.

—Bueno, había estado pensándolo. —Justin aún fingía indiferencia.

—¿Y a qué conclusiones has llegado?

—Bien... —tartamudeó Justin—. Bueno, es posible que Ashley necesite un compañero —balbuceó—. ¡Después de todo, el Comité nunca ha enviado a dos representantes juntos allí abajo! ¡Podría ser una nueva oportunidad de ensayar otra táctica!

El Anciano Em parpadeó ante aquella gimnasia mental de Justin.

—Un nuevo tipo de prueba... ¡nunca se me había ocurrido, Justin!

El alumno asintió, seguro de sí mismo.

—Entonces, he pensado que podría ir con Ashley. Tal vez podamos ayudarnos mutuamente.

—¿A ti qué te parece? —El Anciano Em se volvió hacia Ashley, que estaba de pie a su lado.

—No me parece mal —respondió la joven, preguntándose en silencio por el giro que tomarían los acontecimientos.

—Entonces, ya está decidido —asintió el anciano—. Ven aquí, Justin.

Justin estuvo a punto de caerse de la silla de puro nerviosismo. Recobrando en seguida la compostura, se puso en pie, cuadró los hombros y salió delante del aula sin perder la pose. Ashley parpadeó de sorpresa. Se sintió atraída por él de inmediato.

De pie entre Ashley y Justin, el anciano se dirigió a todo el grupo.

—En esta simulación, descubriréis lo que sucede cuando una sociedad ha perdido el alma. Justin y Ashley harán frente a uno de los mayores retos de la Tierra de nuestros tiempos. Su aventura se centra en la ira y la rabia que aparecen cuando el amor, los valores y el propósito vital se han visto minados y la unidad de la familia dañada.

Justin miró de reojo a Ashley. Aunque no estaba seguro de haber comprendido todas las palabras del anciano, se alegraba de poder ir con ella. Ashley tenía algo especial.

—Ashley y Justin retomarán la prueba en el punto donde Élan y Jaron la han dejado. —Al decir estas palabras, el anciano inclinó la cabeza hacia ellos—. Naturalmente, vuestro objetivo es el mismo. Os acercaréis a la montaña desde una dirección algo distinta a la de ellos dos, pero de todos modos, proseguiréis con el viaje en busca de la cueva.

Calló por unos momentos.

—Como el aprendizaje es acumulativo, ambos mantendréis una continuidad de conciencia con lo que hayan aprendido Élan y Jaron.

»Ahora, cambiaréis de vestimenta —dijo, y mientras hablaba se apartó de ambos—. Ropas de la tierra —anunció, y chascó los dedos delante de ellos.

Al transformarse los dos alumnos, Élan y Jaron se miraron. Aún recordaban con viveza sus propias experiencias; entonces, vieron la camisa de color verde claro de Justin y sus pantalones negros. Ashley vestía una blusa ligera de color turquesa y pantalones vaqueros.

Ambos se miraron los brazos, sorprendidos. Llevaban un reloj en la muñeca. Élan sonrió al recordar una vez más las primeras sensaciones de constricción.

El Anciano Em buscó dentro de su cajón, sacó una billetera azul y se la dio a Ashley.

—Dentro encontrarás tu documentación —le dijo, en respuesta a su mirada de perplejidad—. Se trata de uno de los requerimientos de la Tierra —añadió, y volvió a buscar en su cajón—. Ésta es para ti —dijo, y le dio una billetera negra a Justin. Cuando éste la hubo cogido, prosiguió—: Aquí encontrarás dinero para tu viaje, además de la documentación necesaria, y varias tarjetas de crédito que harán más fácil tu visita a la Tierra.

Justin abrió la billetera y se encontró con su propia foto en la documentación. Sintió súbita inquietud.

—¿Cómo sabíais que me iba a presentar voluntario?

—Simplemente, lo sabíamos —le respondió amablemente el anciano, que tenía los ojos clavados en los del joven.

Justin parpadeó, tratando de recobrar la compostura. Habría tenido que contar con ello.

Entonces, el Anciano Em cogió algo que se hallaba al lado de su mesa: dos pequeñas mochilas.

—Dentro, encontraréis ropas para el viaje y otros objetos que harán más confortable vuestra estancia. —Les dio una a cada uno y añadió—: ¿Estáis listos ya?

Justin, tras guardar su billetera en el bolsillo de detrás de la mochila y cerrar la cremallera, respiró hondo.

—Yo ya estoy listo —dijo, y miró a Ashley—. ¿Y tú?

La joven echó la billetera en el compartimento principal de la mochila y asintió.

—Estoy lista —respondió, segura de sí misma.

El Anciano Em se acercó al panel del tablero frontal.

—Así que, ahora —prosiguió—, imaginaos que habéis llegado a Brenton, una pequeña ciudad que se halla, aproximadamente, a trescientos sesenta kilómetros de la base del monte Akros.

—¿Empezaremos por allí?

Justin sentía inesperadas vacilaciones ante la realidad de lo que estaba sucediendo. Todo ocurría con tanta rapidez desde que se había levantado... Deseaba haber tomado la decisión correcta. De no ser por Ashley, ni siquiera se habría ofrecido. «Pero ella va a ir», pensó, y acabó de convencerse. Había tomado una decisión.

—Empezaréis por allí, sí —respondió el anciano—. Brenton, una pequeña metrópolis donde vive, aproximadamente, un millón de personas.

Ashley sintió que de pronto le flaqueaban las piernas. Trató de agarrarse al brazo del anciano.

—No pasará nada —dijo éste para darle aliento—. Emplead el mantra de la serenidad y el don de la visión interior. Meditad antes de actuar y todo os saldrá bien.

Ashley asintió.

Justin se cuadró.

—Estoy listo —dijo con voz firme y convencida mirando a los ojos al Anciano Em.

Entonces, el anciano pulsó el botón del panel, como de costumbre, y el silbido y la crepitación ya familiares hendieron el aire. Justin y Ashley se disolvieron en un vórtice de luz que giró a toda velocidad y ascendió como por un embudo, estallando en el aire.

A modo de escenario apareció una calle suburbana y un autobús que daba la vuelta a la esquina y desaparecía. Cuando Justin y Ashley se molecularizaron, aún quedaba una estela de gases en el aire.

Ashley había aparecido con un pie en la acera y otro en el negro asfalto. Casi se cayó al tratar de mantenerse en equilibrio con el peso de la mochila.

Justin estaba en pie, mirándose a sí mismo mientras sus células se congregaban en plena calle. Justo entonces, un coche dobló la esquina. Justin pegó un salto y tropezó, cayendo en el mismo momento en que el coche trataba de esquivarle. El conductor gritó, alzó el puño y se marchó a toda prisa. Justin contempló con perpleja incredulidad su intensa ira. Jamás había experimentado nada parecido.

—¿Están bien? —le dijo Ashley, corriendo hacia él.

—Desde luego, me siento torpe —contestó el joven, y trató de recoger la mochila, que había quedado a un lado de la calle.

Tras sacudirse el polvo de los pantalones, se examinó la mano izquierda. Tenía rasguños y algo de sangre.

—No ha sido culpa tuya. Él conducía demasiado rápido.

Justin subió a la acera junto con Ashley. Trató de recobrar la compostura y se sacudió la gravilla que le había quedado adherida a las manos. Sentía que las piernas le temblaban.

—Vaya recibimiento.

Al contemplar la calle, advirtió por primera vez su simetría. En ambas direcciones, había hileras de arbolillos que daban sombra al césped a lo largo de la acera. Flores púrpura y rosadas crecían al pie de cada uno de los árboles y daban un aire fresco y limpio al vecindario.

Sintiendo un impulso intuitivo, Justin señaló la dirección hacia donde se ponía el sol, y ambos se echaron a andar.

Las sombras del ocaso no tardaron en teñir el barrio con sus colores y pintaron de ámbar los tejados. Sutiles sombras se deslizaban por el cielo; llegaba la noche, y la luz del día se estaba rindiendo a las penumbras del purpúreo ocaso. El aire refrescaba. Durante largo rato, anduvieron juntos, codo con codo, perdidos en su observación personal de la Tierra.

—Tenemos que encontrar un sitio donde cenar —dijo Ashley, rompiendo por fin el silencio.

Empezaba a sentir hambre, y nerviosismo por estar allí. Jamás habían estado en aquel lugar, y caía ya la noche.

Al llegar a una esquina, se detuvo para pensar en qué dirección debían ir. Ya casi había anochecido. Las farolas de la calle parpadearon y se encendieron en una línea discontinua que parecía extenderse hasta el infinito a derecha e izquierda. En la calle de la izquierda, divisaron una serie de edificios con diseños variados, en su mayoría de dos pisos, apiñados uno al lado de otro.

—¿Qué te parece allí? —Justin señaló hacia la izquierda. El estómago le rugía.

Ashley asintió, y doblaron la esquina para acercarse a los edificios de dos pisos, que empezaban a pocas manzanas de allí.

Minutos más tarde, encontraron a una mujer de mediana edad que estaba sacando a rastras del garaje un gran contenedor de plástico lleno de basura. Justin se apresuró a ayudarla. Levantó el contenedor de basura y lo dejó en el borde de la acera. La mujer le dio las gracias y le confirmó que iban por el camino correcto. El centro de la ciudad se hallaba a unos seiscientos metros de distancia. Allí podrían encontrar restaurantes y hoteles.

—Buscad un edificio de ladrillo rojo, de dos pisos, al final de un camino de entrada circular, a seiscientos metros de aquí hacia la izquierda —dijo la mujer, y señaló en la misma dirección que habían estado siguiendo.

—Nos lo ha indicado bien —dijo Justin diez minutos más tarde. Señaló un viejo edificio de ladrillo, al extremo de un camino de entrada circular que les quedaba a la izquierda—. No podríamos habernos perdido ni aun queriéndolo.

Se inscribieron en el hotel y, tras una cena en la cafetería vecina, se retiraron a sus habitaciones. Acordaron encontrarse en el vestíbulo a las ocho de la mañana para tomar un café. Ambos se hundieron en sus sueños privados, donde las imágenes y sonidos aún frescos de su experiencia en la Tierra podrían refinarse en una nueva realidad.

A la mañana siguiente, cuando Ashley entraba en el vestíbulo, Justin le ofreció una taza de café.

—Hola.

—Buenos días —respondió ella, y cogió la taza de sus manos—. Gracias —dijo, y fue hacia un sofá. Parecía distante.

—¿Cómo estás?

—Bien.

—Entonces, ¿a qué se debe esa cara?

—He tenido un sueño —dijo mientras se sentaba.

—Cuéntamelo.

Justin se le acercó y le ofreció un bollo de arándanos en una servilleta.

—Gracias. —Dejó el café sobre la mesa y cogió el bollo—. Los dos estábamos en una ciudad, buscando el camino de salida —siguió diciendo.

—Eso no era un sueño —afirmó Justin, y se sentó en un sofá gemelo desde el que se podía ver la ventana—. Era la realidad.

—No bromees. Podría ser algo importante —dijo ella, y mordisqueó el extremo del bollo—. Tú y yo estábamos caminando por la calle y buscábamos un punto de referencia, algo que nos diera una pista. Llegamos a una esquina, en una encrucijada, y de repente todo nos parecía amenazador, extraño. Había rostros que se burlaban de nosotros.

Ashley se estremeció al recordarlo.

—¿Y entonces, qué?

—Recuerdo que me sentí atrapada, como si no hubiera existido ninguna salida. —Miró al suelo.

—Sigue.

—Entonces, los del hotel me han despertado. —Se encogió suavemente de hombros—. No recuerdo nada más.

—Hmm. ¿Qué crees que significa?

—No estoy segura. Pero no me ha gustado —dijo, mirándole directamente—. Ha sido un alivio que me despertaran. Yo quería salir de ese sueño.

—Quizá sólo haya sido una de esas absurdas pesadillas.

—Trataba de liberarla de su angustia—. Quizá se deba a que estamos en una ciudad nueva, con imágenes nuevas, y todo eso.

—Quizás. —Ashley estaba pensativa. No se sentía tan segura de ello—. Me ha dejado con una sensación extraña.

—Y ahora, ¿cómo te sientes?

—Algo mejor, gracias. —Sonrió y tomó la taza de café—. Una siempre se siente mejor al poder contarlo.

Ambos callaron, se acabaron el café y los bollos y contemplaron el paisaje desde la ventana. El sol de la mañana aún no se dejaba ver, pero sus saetas doradas rasgaban el cielo oriental. Sobre los edificios de la acera opuesta, y detrás del hotel, las arremolinadas nubes blancas se teñían de plata.

—Qué hermosa vista, ¿verdad? —Justin, quien raramente dejaba entrever sus sentimientos, señaló al cielo matinal, claramente conmovido.

—Desde luego. —Ashley asintió. Estaba sentada a la derecha de Justin, delante de la ventana.

El joven nunca había tenido ocasión de contemplarla. Se alegró de la oportunidad que se le brindaba. Como Ashley estaba sentada delante de él, forzosamente había de verla.

Sus movimientos eran suaves y gráciles. Mientras se bebía el café y observaba el cielo cambiante, la rodeaba un aura de serenidad. Al observarla con detenimiento, Justin comprendió que no se trataba de la frágil dama que uno hubiera podido suponer. Sintió en ella una resistencia interior; parecía refinada y graciosa por fuera, pero estaba armada por dentro con una suerte de vigor de acero. El aura que la rodeaba aparecía serena. Justin se sentía relajado en su presencia. De alguna manera, le daba estabilidad.

«Inusitada combinación», pensó.

—¿No crees que deberíamos hacernos con un plano de esta zona? —preguntó Ashley, y se volvió hacia él. Sus ojos garzos sonreían por dentro.

—Es verdad. Voy a preguntar en recepción.

Justin se acercó al mostrador de recepción y pulsó el timbre. Un joven apareció en la entrada.

—¿Qué desea? —dijo, y ocupó su puesto en el mostrador. Era algo más bajo que Justin y rubio. Parecía muy pulcro. Justin lo encontró agradable—. ¿En qué puedo ayudarle? —preguntó.

—¿Tiene algún plano de la zona?

—Por supuesto —dijo él, y se agachó para abrir un armario debajo del mostrador—. Creía que nos quedaban planos —dijo entonces, buscando entre el material impreso de los estantes—. Pero creo que se nos han acabado. —Se incorporó y se sacudió el polvo de la mano en los pantalones—. Lo siento, parece que tenemos de todo excepto planos. Si siguen esa calle hacia la derecha, tres manzanas más allá, encontrarán una estación de servicio. Podrían probar allí.

Después de terminar el ligero desayuno, subieron a las habitaciones a recoger las mochilas y abandonaron el hotel. Al salir a la calle, el estrépito matinal del tráfico rodado estalló a su alrededor. Se marcharon en la dirección que les había sugerido el recepcionista. Anduvieron por un bulevar de cuatro carriles, repleto de moteles y pequeñas tiendas. Al pasar por delante del local donde habían cenado la noche anterior, sintieron el aroma del café y los pastelillos. Aquí y allá, por toda la calle, iban viendo a las más variadas personas en diversas fases de preparación para el nuevo día.

Enseguida dejaron atrás las tres manzanas y llegaron a la estación de servicio.

—¿Vas a comprar tú el plano? —dijo Ashley. Cogió las mochilas y se sentó en el banco de la parada de autobuses, enfrente de la gasolinera—. Yo te espero aquí.

Justin regresó a los pocos minutos con un par de planos.

—Aquí no hay nada gratuito —comentó al sentarse a su lado.

—¿Necesitaremos dos?

—He tenido una especie de presentimiento. He traído un plano de calles y también un mapa de toda la comarca. Estoy más interesado en el mapa.

—¿Por qué?

—No estoy seguro. —Empezó a desplegarlos sobre las rodillas—. Nos faltaba un plano de calles, pero algo me ha dicho que también necesitaremos el mapa de toda el área. —Se encogió de hombros—. No entiendo ese presentimiento, pero me inspira confianza.

Ashley se sentía cómoda con Justin. Ella también había confiado siempre en su intuición. Al observar el mapa por encima del hombro del joven, sintió una comezón en el estómago.

—Tenías razón —dijo—. Aquí hay algo.

Entonces, Justin empezó a recorrer la esquina derecha superior del mapa con la diestra, lenta y metódicamente. Sus ojos iban saltando de nombre en nombre. De repente, se detuvo.

—El monte Akros —dijo, leyendo las palabras entre los dedos. Le resultaban muy familiares, pero ¿dónde las había oído?—. «Monte Akros» —susurró de nuevo.

Ashley parpadeó y miró al vacío.

—¿Qué es eso? —dijo, y se volvió en silencio hacia Justin.

Se miraron a los ojos. Habían tropezado con algo poderoso, en los mismos límites de la consciencia. ¿De qué se trataba?

Entretanto, en el aula, Élan se levantó bruscamente de la silla.

—¡Es la montaña! —dijo con potente voz.

—Es la montaña —dijo suavemente Justin.

—¿Qué montaña? —Ashley se sentía confusa.

—¡La que estábamos buscando! —gritó Élan.

—La que estábamos buscando —repitió hipnóticamente Justin en respuesta a la pregunta de Ashley.

—¿La estábamos buscando? —repitió Ashley, como en trance. Aún sentía la punzada en el estómago—. De todos modos, tienes razón, hay algo especial en esa montaña.

Justin trató de librarse de aquellas sensaciones, pero no lo logró.

—No sé por qué, Ashley, pero debemos ir allí. Tenemos que llegar hasta esa montaña. —Se puso en pie y volvió hacia la estación de servicio—. Enseguida vuelvo.

Justin regresó unos minutos más tarde con una hoja de papel en la mano.

—Me han explicado cómo ir hasta allí —dijo—. ¡Vayamos a la montaña, Ashley! El encargado me ha dicho que es fácil. Con sólo cambiar dos veces de autobús, llegaremos a la estación central. —Se sentó en el banco al lado de la joven—. Desde allí, otro autobús nos llevará en cinco horas a las afueras.

Ashley cogió la hoja de papel.

—¿Cuánto falta para la salida del primer autobús?

Justin consultó el reloj.

—Unos veinte minutos. Llegará a las nueve y quince.

Siguiendo las indicaciones escritas en el papel, ambos subieron al autobús número 9. Bajaron dieciséis manzanas más allá. Al cabo de quince minutos, el número 7 dobló la esquina y llegó a la parada.

Pero el número 7 era más antiguo. Al frenar, dio varias sacudidas, los frenos chirriaron y el tubo de escape arrojó gases. Justin informó de su destino al conductor que les examinaba los billetes. Éste, a modo de respuesta, asintió antipáticamente y pisó el pedal del embrague. El autobús salió disparado y los dos viajeros tuvieron que retroceder dando traspiés. Justin se agarró a la barra con una mano y Ashley con la otra. El joven la ayudó a sentarse y ocupó otro asiento a su lado; dejó los paquetes sobre el que tenían delante, que estaba vacío.

El autobús se había llenado a medias. El ambiente amistoso del número 9 había sido reemplazado por una especie de crispación, por una energía disonante que impregnaba el aire. Justin se inquietó sin tener plena conciencia de ello y, tenso, empezó a subir y bajar nerviosamente la rodilla izquierda. Ashley se volvió para contemplar el interior del autobús. Estaba viejo y sucio tras varios años de negligencia. Había envoltorios de golosinas por el suelo y, tras el respaldo de los asientos que tenían delante, manchas de refrescos semejantes a alargados lagrimones oscuros congelados en el tiempo. La muchacha se sintió agredida. La agresión estaba escrita en los grafitti que se habían ido trazando a lo largo de los años en las paredes y asientos del autobús. A su lado, sintió la tensión que se había adueñado del cuerpo de Justin y los golpes que el joven daba en el suelo con el pie.

Respiró hondo y, con plena consciencia, relajó los hombros. Dejó de prestar atención a su entorno y serenó su mente en busca de un paisaje de la misma naturaleza. Sólo fue capaz de visualizar el sueño de la noche anterior. Las imágenes no eran las mismas, pero los sentimientos sí. Algo amenazador se estaba acercando. Los malos presagios flotaban como un gran nubarrón invisible en la atmósfera del autobús. Ashley tendió el brazo y tomó la mano de Justin. Necesitaba la fuerza del muchacho y sabía que éste, a su vez, podía necesitar de su paz interior. Sintió la mano entre los dedos y el muslo de su amigo, y de pronto volvió a prestar atención a cuanto la rodeaba. La rodilla de Justin se detuvo en el aire. El muchacho respiró hondo, bajó lentamente la pierna y se relajó deliberadamente. No se había dado cuenta hasta entonces de lo tenso que estaba. Se volvió hacia Ashley, cuyos ojos también se habían vuelto nerviosamente para mirarle.

Tomaron aliento a la vez, y Justin estrujó la mano de la muchacha; notó cuán pequeña era en comparación con la suya. Se sintió protector y trató de tranquilizarla.

—Todo irá bien —le dijo, y rogó para sus adentros que así fuera.

Se volvieron a la vez y contemplaron los asientos de detrás. La parte posterior del autobús estaba atestada de figuras sombrías que murmuraban en voz baja y adornaban su charla con mezquinas afirmaciones. Ashley se sentía el estómago agarrotado. Justin la aferraba cada vez con mayor fuerza y se notaba los músculos de las caderas entumecidos de pura aprensión.

En aquel momento, el conductor del autobús anunció su parada. Espiándoles por el retrovisor, movió la cabeza y les señaló la salida con los ojos. Las puertas delanteras chirriaron al abrirse, como si hubieran tenido las bisagras oxidadas, y la goma negra frotó ruidosamente el escalón. Justin recogió las mochilas; Ashley se agarró con fuerza a su brazo al bajar del autobús con él. Las puertas se cerraron ruidosamente a sus espaldas y el autobús se alejó bruscamente del bordillo, arrojando una negra nube de gases.

Justin no perdió de vista el autobús hasta que hubo desaparecido tras una esquina. Entonces se volvió y contempló a Ashley, quien estaba echando nerviosas miradas en derredor. Resignados a su situación, fueron hacia el banco de la parada. El área parecía tan inhóspita como el autobús que los había llevado hasta allí. Una amenazadora sensación parecía desprenderse del techo y las paredes de madera que encerraban el banco por tres costados. ¿A qué se debía que el dependiente de la estación de servicio no hubiera mencionado aquello? Justin estaba perplejo.

Se sentó al lado de Ashley y le cogió la mano; tenía las ideas confusas. ¡Sin duda alguna, el hombre aquel habría tenido que advertirles! Se debían de haber equivocado en algo. Buscó en su bolsillo derecho y sacó la hoja de papel con la información de horarios para saber cuándo pasaría el siguiente autobús. Al releerlo, sintió un escalofrío por todo el cuerpo. Acababan de bajar del autobús número 7, y habrían tenido que tomar el número 1. En su entusiasmo, había confundido los dos números. La calle era la misma, pero, probablemente, habrían tenido que bajarse a varios kilómetros de allí.

Ashley estaba demasiado absorta en lo que les rodeaba como para sentir la súbita tensión en los brazos de Justin. Estaba estudiando el sitio donde se encontraban. Las vistas no eran agradables. En la calle transversal que pasaba por su izquierda, se alineaban viejas casas de ladrillo de aspecto degradado. Media manzana a la derecha, en la otra acera, había un supermercado. Parecía muy tranquilo. Delante de su entrada, el suelo estaba cubierto de periódicos y envoltorios, que la última ráfaga de viento parecía haber arrastrado hasta la pared.

«Se parece al interior del autobús», pensó en silencio mientras sus ojos escudriñaban la calle.

De pronto, vio una pandilla de cinco muchachos al extremo de la manzana. Hablaban ruidosamente y se dirigían a la parada de autobús. A medida que se acercaban, creció la algarabía; se arengaban y gritaban unos a otros. Justin se volvió para conocer el origen del bullicio, y porque Ashley acababa de darle un codazo.

—Mi sueño se está haciendo realidad —dijo la muchacha, con la garganta seca y apergaminada.

—Pues no parece nada agradable.

—Mi sueño tampoco lo era —replicó Ashley.

¡Y pensar que estaban allí porque se habían equivocado de autobús! Justin no podía creérselo. ¡La mano del destino los perseguía y ellos habían salido a su encuentro por simple confusión! ¡No era el momento de tratar de entender qué significaba todo aquello!

Entonces, uno de los muchachos vio a la pareja. Era el más

bajo del grupo, achaparrado y robusto; vestía una camiseta ceñida de color azul oscuro y unos vaqueros raídos, agujereados en la rodilla izquierda. Susurró algo a los demás, señaló a Justin y Ashley con el dedo y todos se volvieron para mirarles. Justin se encogió, y estrujó la mano de Ashley con mayor fuerza todavía.

—Eso es. No pierdas la calma, Justin —susurró Ashley.

La joven se sentía el estómago revuelto. Igual que en su sueño.

El muchacho más achaparrado pasó corriendo por delante de un veloz furgón, saltó a la acera y se acercó a Justin, pavoneándose, hasta tenerlo a un par de metros. Los demás le siguieron, esquivando también los coches.

—¿Qué estás haciendo en nuestro barrio, niño bonito? —Cruzó los brazos sobre el pecho, se plantó con las piernas abiertas y miró agresivamente a Justin.

Éste, que no se había levantado del banco, no sabía muy bien cómo responderle. Su primer impulso fue echarse a reír, pero se contuvo. Aquel pequeño matón que se le había plantado delante y le estaba mirando a los ojos le resultaba muy cómico. Parecía pequeño en comparación con el fornido cuerpo de Justin. Entonces, los otros cuatro se acercaron con aire fanfarrón y se pusieron detrás de él, y Justin vio que no era momento de reírse. De nada le valdría su corpulencia; le superaban en número. Llevaban malas intenciones, aunque Justin no acababa de entender qué era lo que pretendían.

—¿A vosotros qué os parece, tíos? —dijo el más bajo, y señaló a Justin.

—Dale una oportunidad, Gino. —El más alto, que tenía la palabra «Leon» tatuada en el brazo izquierdo, dio un paso adelante—. Puede que no conozca las leyes de nuestro territorio.

—Bueno, pues entonces tendremos que educarle, ¿verdad?

—Gino rió con disimulo—. Explícale las reglas, Leon. —Sus ojos parecían fría pizarra y miraban gélidamente a la pareja.

—Las reglas son muy simples. Sólo hay dos. —Leon se cruzó de brazos con orgullo, exhibiendo la buena musculatura de su pecho y los hombros cubiertos con un ceñido jersey—. Regla número uno: éste es nuestro territorio —dijo con suficiencia.

Entonces vio de reojo a Ashley y, por unos momentos, se amilanó al sentir algo familiar en ella. ¿De qué podía tratarse?

—Tienes razón. —Justin parecía estar pidiendo disculpas—. ¡Nos marcharemos de aquí en cuanto podamos!

—No lo entiendes, niño bonito. —Otro miembro de la banda, de ojos oscuros y siniestros, dio un paso adelante—. Éste es nuestro territorio y no puedes marcharte sin escuchar antes el resto de las reglas. —Hablaba en tono de burla—. Venga, Leon, acaba ya con las reglas.

—Regla número dos. —Leon sonrió con menosprecio, de nuevo arrogante—. Hay que pagar peaje por entrar en nuestro territorio.

Los demás rieron con desdén y miraron la mochila que Justin tenía sobre el banco.

El joven de ojos oscuros y amenazadores se puso a la izquierda de Justin. Cogió la mochila del banco y empezó a buscar en su interior. Como no encontró lo que quería en el compartimento central, trató de abrir la cremallera del bolsillo exterior.

Justin se abalanzó sobre la mochila.

—Dame eso. —Se sentía violado.

—Uups. —El joven saltó a un lado antes de que Justin lo pudiera agarrar—. ¡Diana! —gritó mofándose, y sostuvo en el aire la billetera de Justin, donde éste no podía cogerla.

—Cobro del peaje —dijo Leon entre risillas, y se interpuso entre ambos.

Gino le quitó la billetera de la mano a su amigo. Sacó el

dinero y las tarjetas de crédito, y se la devolvió a su propietario.

Justin estaba desconcertado.

—¿Podemos marcharnos ahora?

—Todavía no —dijo Gino, mirando a Ashley.

El muchacho más alto se le acercó.

—Yo creo que, para empezar, tendríamos que llevarnos a la novieta a pasear por el parque, ¿no te parece, Gino?

Leon se estaba fijando en Ashley por vez primera. Cuando los ojos garzos de la muchacha lo miraron a él, creyó ver el rostro de su madre contemplándole desde el lecho. Eran los mismos ojos. Su madre había quedado reducida a puro hueso por un voraz cáncer que la había atacado a los treinta y siete años. Aún oía su voz diciéndole que tuviera fuerzas. Siempre le había dicho que él era especial. La noche en que murió la madre, él tenía diecisiete años, y estaba solo y perdido, y abrazaba su cuerpo vacío y frágil, y le rogaba que volviese.

—Venga, tía, ¿quieres venir a dar una vuelta? —La voz de Gino le devolvió al presente. La había agarrado por la muñeca.

Ashley, asustada, trató de zafarse de él.

—Ahora no seas antipática —masculló Leon, y también le agarró el brazo con ira.

El rostro de Justin enrojeció. La cólera se le inflamó en el pecho y su rígido puño surcó el aire al encuentro de Gino.

—¡No! —gritó Leon, y se arrojó entre ellos para proteger a su madre; el puño de Justin le golpeó en la mandíbula.

Leon gritó, se tambaleó y retrocedió bruscamente; se desplomó aturdido sobre el pavimento e hizo caer también a Gino.

Leon saboreó la sangre. Se tocó la cara. El denso líquido rojo estaba manando de su barbilla. Hinchó la nariz y miró con desprecio a Justin. Lenta, deliberadamente, se volvió sobre el costado derecho y se puso en pie. Con pasos calculados y metódicos, los cinco muchachos les rodearon y encerraron a Justin y Ashley en un semicírculo.

El cerco de los cinco se fue estrechando. Leon se limpió la sangre de los labios y profirió una cruel maldición. Con voz rabiosa, le gritó obscenidades a Justin. El rostro de los cinco hervía en cólera; su semicírculo se iba cerrando en torno a los otros dos.

Por un instante, Ashley se sintió perdida. ¿Era un sueño o estaba ocurriendo de verdad? Aquellos rostros coléricos, insensibles, endurecidos. El círculo de burlas se estrechó aún más; el fétido olor de los cuerpos la abrumaba. La muchacha sintió que estaba a punto de vomitar. Respiró hondo y pidió ayuda. Durante medio segundo, el tiempo y la escena que estaba contemplando se movieron a cámara lenta. En ese instante, su visión se alteró, y vio, a través de las formas, la luz interior de los espíritus. Allí, oculta bajo capas de dolor y fealdad, descubrió una luz en cada uno de los miembros de la banda... una joya.

«Dios mío —pensó, contemplando con pasmo a Leon—, aun debajo de toda esa rabia, su luz es la más brillante, la más cercana a la superficie.»

La voluntad de Ashley se convirtió en acero en el yunque de su corazón. Sabía que Leon sería el más fácil de persuadir. Tenía que entenderse con él, aunque no sabía cómo hacerlo.

—¡Leon, basta! —chilló, y se puso en pie.

Ésta era la primera palabra que le decía; le aturdió. El muchacho retrocedió. Mirándola, se tambaleó. Los ojos de Ashley le persiguieron.

En su interior, Ashley estaba rogando ayuda. Había logrado captar su atención. ¿Qué tenía que hacer ahora?

—Leon, por favor. —Ashley tenía los ojos desorbitados de miedo.

Leon la contemplaba, inexpresivo. Estaba viendo el rostro de su madre, los grandes ojos de su madre demacrada, que le rogaban ayuda.

Ashley notó sus vacilaciones. Había descubierto algo en el muchacho, algo que lo había cambiado.

—Leon... —repitió con voz gélida y asustada.

El corazón del muchacho saltó al oírla. Recordó los padecimientos de su madre. Escuchó la súplica, negando con la cabeza, haciendo una mueca de confusión. No había podido ayudarla aquella noche ni podría hacerlo jamás.

Justin observaba a Ashley con sorpresa e incredulidad. Ésta era la fuerza interior que había sentido en ella.

—No la escuches, Leon. —Gino le cogió por el brazo y trató de apartarlo de la muchacha.

—Leon, hay algo especial en ti —insistía Ashley—. Lo percibo. —Tenía que convencerlo—. Eres distinto de los demás.

Leon se apartó con el rostro torturado. Ya había oído aquellas palabras en otra ocasión. Su respiración era pesada y trabajosa; vaciló, y la contempló boquiabierto. Su mente estaba confusa, rasgada por fuerzas poderosas que no comprendía.

—Está tratando de ponerte de su lado, Leon —gritó Gino.

Ashley pidió ayuda en silencio. Estaba valiéndose de sus instintos, pero necesitaba un milagro. Tenía que separar a Leon de los demás para así dividir el grupo.

—No los escuches, Leon —masculló el muchacho achaparrado, y dio un paso adelante. Tenía la nuca roja de cólera—. Vamos a llevárnosla. —Agarró a Ashley por la muñeca.

De súbito, el puño de Leon cargó contra el pecho de su amigo. Los ojos de éste quedaron vidriosos como los de un animal en el tormento.

—¡Espera! —gruñó, y miró fijamente a los ojos de Ashley.

—Eres distinto, Leon. —Para sus adentros, Ashley rezaba

por estar diciendo las palabras adecuadas—. Brillas con una luz especial —dijo por fin—. Yo la veo.

Leon abrió los ojos desmesuradamente, asombrado. Su cuerpo se acercó al de la joven, como si lo hubiera atraído una fuerza tremenda. Una extraña sensación empezó a cuajar en su estómago. Hasta aquel día, sólo su madre había sabido hablarle así. Le había hablado de su luz momentos antes de morir, le había dicho que algún día iba a descubrirla. Ahora, sentía la desesperante necesidad de creerla.

—Escúchame —le suplicaba Ashley, sosteniéndole con firmeza la mirada—. Eres un jefe natural, Leon.

—No seas necio, Leon —le vociferó Gino al oído—. Está tratando de engañarte.

En ese mismo instante, hubo ruido y movimiento de energía al otro extremo de la calle. Leon se dio cuenta y alzó los ojos. Se le encogieron las pupilas de terror. Ashley sintió un breve estremecimiento. Leon parecía un animal asustado, acorralado por los cazadores. La joven sintió lástima por él. Mirando adonde él miraba, descubrió a siete hoscos matones con bandas púrpura en los brazos, que se les acercaban. La pandilla de Leon quedaba en inferioridad numérica.

Al pasar cerca de allí, uno de los jóvenes de la banda púrpura vio de reojo lo que estaba sucediendo. Les señaló y se les acercó con pasos lentos y calculados. Toda la pandilla lo siguió.

—Vaya, ¿qué tenemos aquí? —dijo con desprecio, a unos seis metros de donde ellos estaban—. Los chicos de Leon se están portando mal. —Alargó la palabra «mal» para burlarse del líder del grupo.

—Y Leon está sangrando —comentó otro.

Leon y su pandilla empezaron a retroceder lentamente. Andaban de costado, sin perder de vista a sus rivales, replegándose a una distancia de unos tres metros para hacerles frente.

Aprovechando la ventaja del momento, Justin sujetó a Ashley por el brazo y ambos escaparon corriendo por la calle. Cuando llegaron al bordillo, Justin le dio un apretón a modo de señal, y ambos huyeron en dirección al supermercado.

Al instante, el Anciano Em oprimió el botón y ambos comenzaron a disolverse. El aire crepitaba y siseaba. Sorprendidos por el sonido, Leon y los demás se volvieron y contemplaron con incredulidad cómo las dos figuras se disolvían en el aire a media carrera. Entonces, Justin y Ashley desaparecieron por completo y las dos pandillas quedaron boquiabiertas e incrédulas.

11

Reflexiones

Justin tuvo la sensación de estar contemplando desde un pliegue temporal, con asombro, cómo las células de Ashley se remolecularizaban a su lado. Al tenderle la mano para darle confianza, vio como sus propios brazos se volvían sólidos en un instante, en el mismo momento en que la agarraba. Exhausta de pura tensión, Ashley se dejó caer sobre él y le rodeó los hombros con ambos brazos. Élan y Jaron se les acercaron tan pronto como sus células hubieron reconvergido plenamente y les sujetaron. Ambos sabían lo que Justin y Ashley habían pasado. No había manera de duplicar la experiencia real; la verdadera maestra era la experiencia.

Ashley se sentía las rodillas débiles y el corazón aún le latía a toda velocidad.

—¡Tenías razón! —le susurró a Élan cuando los cuatro se abrazaron—. Estar allí abajo no es fácil.

Jaron retrocedió con respeto.

—Habéis estado magníficos. —Se preguntaba si él mismo habría podido hacerlo mejor—. Al ver vuestro coraje, me costaba creerlo.

—A mí también —murmuró Justin mientras se limpiaba la sangre seca de las heridas de la mano derecha. Aún la tenía entumecida por la fuerza del golpe.

—Yo pienso lo mismo, Ashley —añadió Brooke desde su

asiento en la cuarta fila—. Jaron demostró mucho coraje, pero su situación era fácil en comparación con la vuestra.

Ashley negó con la cabeza.

—Lo que habéis visto no tiene nada que ver con el coraje —dijo—. Ha sido puro instinto de supervivencia. Nos veíamos atrapados sin camino de salida.

Se sentía más humilde. Ahora comprendía por qué nadie tiene derecho a juzgar a los demás. Había entendido que nadie sabe cómo va a hacer frente a una situación hasta que tropieza con ella.

—Lo que Ashley no entiende es el gran don con el que ha tenido el honor de obsequiar a Leon. —El Anciano Em salió delante de la clase—. Veréis, sucede que, como muchas de las almas de la Tierra, Leon se hallaba al límite —dijo al unirse a los cuatro alumnos que estaban al lado de su mesa—. Su madre murió cuando él tenía diecisiete años —siguió diciendo, ahora a toda la clase—. Como se sintió abandonado, dejó su misión y buscó otros tipos de apoyo. Por eso entró en la banda.

—No lo comprendo —le preguntó Ashley al anciano, desconcertada—. ¿Qué tiene que ver eso conmigo?

—Le has conferido a Leon el don del reconocimiento —dijo el anciano—. Por un momento, has sido capaz de perforar la fachada de Leon y contemplar su verdadero ser. Ese momento de percepción de la verdadera naturaleza de Leon, igual que el momento que Jaron le ofreció a James, permanecerá con él y acabará por cambiar su vida.

Ashley sonrió por dentro. Sentía que, de algún modo, aún estaba viendo la luz en los ojos de Leon.

—¿Qué ocurre con James? —preguntó Jaron.

—Lo mismo —le respondió el anciano—. Ahora mismo, James está viviendo una transformación en su conciencia.

Jaron se preguntó por los cambios que estaría experimentando James. Al fin y al cabo, se trataba de un hombre ya mayor. ¿Cuántos años podían quedarle de vida?

—Algún día, todos vosotros conoceréis las verdaderas dimensiones de vuestra gentileza, cuando ésta regrese a vosotros en diversas formas.

Ashley se estremeció. ¿Estaría aludiendo a la vida que les aguardaba? Miró de reojo a Justin y se preguntó adónde los llevarían sus vidas separadas.

—Pero tal como ya había comentado Élan, yo también he perdido intermitentemente la conciencia —dijo—. ¿Qué don puedo haberle ofrecido de ese modo?

—Confía en mí, lo has hecho —le dijo el anciano.

—También me ofreció un don a mí —dijo Justin, sonriendo—. ¡De no ser por Ashley, ahora yo no estaría aquí!

—Lo sé, os estuvimos observando. —Élan se rió—. Estoy seguro de que Ashley está agradecida de que te presentaras voluntario y bajaras allí con ella. ¿Qué habría podido hacer sin ti? —dijo sarcásticamente.

—No te burles —le reconvino Ashley.

—Lo siento —respondió Élan. No le gustaba burlarse de los demás.

Entonces, Ashley le habló a Justin.

—Sí que te necesitaba, Justin. —Ashley sufría al verle herido. Le tenía en un lugar especial de su corazón. Entonces, se volvió hacia Élan—. He sido fuerte porque estábamos juntos —le dijo.

Justin sonrió. Aunque no creyera en todo lo que Ashley estaba diciendo, le gustaba que su amiga le defendiera.

—¿Puedo dar mi lectura de la experiencia? —dijo.

—Por supuesto —le respondió el anciano.

—¿Te importa que nos sentemos?

—Adelante, Justin. —El anciano señaló las sillas y los cuatro se sentaron.

—Yo estaba desconcertado. —Justin sacudió la cabeza al recordar las caras de los pandilleros—. Ha sido una experiencia horrible —añadió, mirando confuso a la pared—. No sé lo que esperaba de la Tierra, pero, desde luego, no contaba con la violencia que encontramos. —Justin se volvió hacia el anciano—. La exclusividad y la ira son terribles, Anciano Em. —Hablaba con voz incrédula—. Nos robaron, y le habrían hecho daño a Ashley, porque éramos diferentes de ellos.

El Anciano Em movía la cabeza de un lado para otro.

—Llevamos miles de años observando ese fenómeno, Justin. —El dolor se reflejaba en sus ojos con plena empatía—. La ausencia de amor y la división que ésta engendra son el origen del sufrimiento en ese planeta. Hasta el día de hoy, esa condición ha perpetuado los cismas entre razas, comunidades y naciones.

Justin sentía angustia.

—Pero si esa condición es tan destructiva, ¿cómo es posible que se permita su existencia en la Tierra? ¿Por qué los seres humanos la dejan existir en su planeta?

—Vivir con dolor de baja intensidad es muy fácil —le respondió el anciano—. Se han acostumbrado a ello.

—Pero todavía no lo entiendo. —Justin estaba perplejo—. ¿Por qué no tratan de crear un mundo en el que no exista?

—Porque los seres humanos todavía no comprenden que la vida es un acto creativo, Justin. —El Anciano Em se sentía conmovido por la profundidad de las intuiciones de Justin. Obviamente, las simulaciones estaban funcionando—. Las gentes creen que la vida, simplemente, es algo que les ocurre. Son el efecto de su ego y sus emociones. Aún no han comprendido que pueden controlar su propio destino. Aún no han visto que podrían ponerse de acuerdo para transformar el mundo, y que, si se produjera ese acuerdo, el mundo empezaría efectivamente a transformarse.

—Bueno, a nosotros nos lo han puesto horriblemente difícil. —Justin negaba con la cabeza, pensativo—. Han establecido un poderoso paradigma de miedo, odio y desconfianza. Algo verdaderamente sobrecogedor.

El Anciano Em no sabía qué más decirle. Conocía aquel dolor. La misma angustia que, tiempo atrás, le había llevado al Comité de Acogida Planetaria. Aún recordaba las palabras con que Raoul había abierto la sesión de aquel día.

—Como entes —había dicho—, todos nosotros somos células de un gran cuerpo. Cuando se hace evidente que hay algo en nuestro cuerpo que no funciona, se activa un profundo dolor subconsciente en el corazón de toda la especie. Hermanos míos —había concluido—, la Tierra necesita ayuda.

—Éste es el motivo por el que se imparten estas clases, Justin —dijo por fin el anciano.

—Lo que más me asustó, Anciano Em, fue mi propia reacción ante la ira. —Justin había sentido el poder de su propia ira en el cuerpo al golpear con el puño—. Yo mismo me vi enzarzado en esa red de energía. —Se sentía mal al pensarlo.

—Por favor, Justin, tienes que dejar de criticarte —exclamó Ashley—. Interviniste sólo porque yo estaba allí.

—Eres muy amable —respondió él con voz débil.

—No, no es así —insistió Ashley—. Te estuviste conteniendo, Justin, te controlaste muy bien hasta que se echaron sobre mí.

—Créeme, Anciano Em —dijo Justin, sonriendo—, ha sido ella quien me ha salvado.

—En absoluto. Estuviste muy tranquilo hasta que me atacaron a mí. Sólo entonces perdiste el control.

—Deberías escucharla, Justin, creo que tiene razón —corroboró el Anciano Em—. Aun después de que te lanzaras para recobrar la mochila, supiste guardar la compostura hasta que uno de ellos sugirió que se llevaran a Ashley. —Calló por unos momentos—. Esto requiere práctica, ¿sabes? Eso que se llama vivir como un humano requiere tiempo, ¿sabes?

—Gracias, Anciano Em. —Justin estaba pensativo—. Creo que, por primera vez, he comprendido cuánto nos necesitamos los unos a los otros. Quise ayudar a Ashley y ha sido ella quien me ha ayudado a mí.

—Nos hemos ayudado el uno al otro —le recordó Ashley.

—Pero en realidad —dijo Justin— fue tu diplomacia lo que dïo un nuevo giro a la situación. —Adelantó la cabeza para poder verla, porque Ashley estaba sentada dos sillas a la derecha—. ¡Allí abajo has estado fantástica! ¿Cómo lo has conseguido?

—No he sido yo. —Ashley negó enfáticamente con la cabeza—. Estaba desesperada. Nos tenían acorralados contra una esquina, Justin. Sabía que no teníamos adónde ir. —Ashley hizo una pausa y se quedó mirando fijamente a su izquierda, reviviendo mentalmente la escena. Entonces, le habló de nuevo a Justin—. En ese momento, ya no confié en que uno de los dos arreglara aquella situación. Supe que necesitábamos ayuda. ¡Sin ayuda, no teníamos esperanza! De pronto, me serené por completo y pedí ayuda al Uno. Se la pedí desde lo más profundo de mí misma, Justin. —Asintió pensativamente—. Y creo que fue eso lo que nos salvó. Entonces vi la joya.

—¿Qué joya? —le preguntó Justin, sorprendido.

—Ahora, al reflexionar, entiendo que todo ocurrió exactamente como lo leímos en el manual, Justin. El corazón tiene la capacidad de ver la verdad. De pronto, vi lo que había debajo de la conducta exterior de esa banda. Por un instante, bajo la máscara de su rabia, atisbé el espíritu interior de esos muchachos. —Ashley estaba pensativa—. No podía creerlo. Estaba mirando a Leon y de pronto vi la joya de su espíritu oculta bajo sus gestos airados. Entonces, tuve el coraje de hablar. Siguiendo un sentimiento instintivo, empecé a hablarle, rogando que el tiempo trabajara en nuestro favor. —Los ojos de Ashley se iluminaron—. ¡Y ocurrió! Milagro de milagros: Leon empezó a responder y la situación dio un giro... ¡apareció de la nada esa otra banda! ¡Santo Dios, qué alivio he sentido! —Se arrellanó de nuevo en la silla—. Tengo que hacer una confesión pública —siguió diciendo—. Quiero que todos sepáis que, en mi fuero interno, había abrigado la creencia de que podría hacerlo mejor que Élan y Jaron. Sin embargo, mi oculta fanfarronería se ha visto templada en el yunque de mi difícil y provechosa experiencia en la Tierra. ¡Élan tenía razón! Es casi imposible mantener un estado de conciencia inalterable en ese planeta. ¡Yo lo intenté de verdad!

El Anciano Em había esperado largo rato para que se completara el círculo de su enseñanza. Se sentó en el borde de su mesa y alzó ambas manos para resaltar aquella afirmación.

—Sin saberlo, Ashley ha tropezado con la clave de todo este asunto —dijo—. Es la «difícil y provechosa experiencia en la Tierra», como ella la llama, la que suele reforzar nuestro poder de resignación y atiza la llama de los sueños rotos. —En algunos de los rostros se pintaba la confusión. El anciano siguió hablando pausadamente—. A lo largo de los siglos, millones de personas han cedido ante sus metas y visiones por ello. Han sacrificado sus esperanzas y su determinación individual tratando de alcanzar objetivos que les parecieron inalcanzables. —Varios alumnos lo entendieron. La confusión empezaba a despejarse. Se veía en sus rostros—. La clave para alcanzar cualquier meta es la capacidad de seguir esforzándose por ella a pesar de los hechos adversos —dijo, y calló para meditar su siguiente paso. ¿Cómo podía lograr que aquella enseñanza se hiciera real para sus alumnos?

—Dejadme que os lo explique —continuó—. Los grandes de la Tierra lo han sabido intuitivamente. Han sabido que no podían fiarse de los hechos inmediatos. Dejadme que os cuente la historia de una de esas personas. —El Anciano Em hizo una pausa para dar más énfasis al comienzo de la historia—. En otro tiempo, hubo un hombre llamado Gandhi que vivió en la India en los tiempos de gobierno británico. A pesar de su cuerpo pequeño y físicamente nada intimidador, Gandhi alcanzó una gran visión de la humanidad. En una ocasión, dijo: «El hombre suele convertirse en lo que él cree..., quien esté convencido de poder lograrlo, seguramente alcanzará las capacidades necesarias para conseguirlo, aunque no las tuviera al comienzo».

»Cuando el joven creció y se hizo hombre, comprendió que el sometimiento de todo un pueblo era algo injusto. Soñó en la libertad civil y en la independencia para su pueblo y sus metas no tardaron en cristalizar en un plan. Finalmente, su vida misma devino en mensaje y en cumplimiento del plan.

»Cuando Gandhi tenía sesenta años de edad, los británicos, que por aquel entonces eran los únicos productores de sal legales en la India, trataron de cobrar un impuesto sobre la sal a los indios. Gandhi comprendió que los británicos no podrían recaudarlo sin el acuerdo y la cooperación del pueblo indio. Decidió cruzar a pie la India hasta el mar en señal de protesta.

»Setenta y ocho personas le siguieron en esta marcha histórica de cuatrocientos kilómetros por la libertad civil. Su meta era mostrar al pueblo que existen medios no violentos capaces de obtener resultados efectivos.

Toda el aula estaba como hipnotizada. Ésta era la primera historia que les contaban sobre los humanos de la Tierra.

—Cuando Gandhi comenzó su marcha —siguió diciendo el Anciano Em—, casi todo el mundo se horrorizó. Los ingleses se mofaron de él: ¿cómo era posible que esperara conseguir algo de aquel modo?

»Así, Gandhi comenzó su marcha junto con setenta y ocho seguidores. Anduvo sin que ningún hecho material respaldara sus puntos de vista. En su interior, la fe y el coraje eran robustos. Sabía que estaba haciendo lo correcto y, al igual que Ashley, siguió sus instintos y pidió ayuda.

»Durante los veinticuatro días siguientes, centenares de personas se les unieron, y cuando Gandhi llegó al mar, le seguían ya millares de aldeanos que se habían unido a la marcha en apoyo a su causa. En la noche del quince de abril de 1930, Gandhi y sus seguidores llegaron a la costa de la India, a la playa de Dandi. Gandhi pasó la mayor parte de la noche en contemplación meditativa. Al alba, ante los ojos de miles de personas, se puso en pie y entró caminando en el mar. Entonces regresó a la orilla, se agachó y recogió alguna sal que había quedado al evaporarse el agua.

»El resultado fue electrizante. Por toda la India, "sal" se convirtió en una palabra misteriosa capaz de unir a un pueblo. Por toda la costa, los indios comenzaron a recoger sal ilegalmente.

»Aunque el impuesto sobre la sal se recaudara al fin, la marcha de Gandhi restauró la fe de los indios en su capacidad para modelar su propia realidad. Millares de indios comenzaron a consumir sal obtenida caseramente. Así se forjó la visión de libertad por la que había de regirse Gandhi durante toda su vida.

»Con el tiempo, el método que había enseñado a su pueblo acabó por convertirse en modelo para la desobediencia civil y, en el año 1947, unos diecisiete años después de su marcha, la India recobró su libertad. Este hombre liberó a su nación de años de sometimiento porque estuvo dispuesto a luchar por un sueño a pesar de los hechos adversos.

Élan tenía lágrimas en los ojos. Ya había conocido aquel reto. Jaron sentía el aguijón del significado del relato. Estaba pensando en los últimos momentos que había pasado con James. Ashley lloraba abiertamente. La joven había sufrido la experiencia de hacer frente a todo un grupo sin contar con ningún apoyo material. Justin callaba. Sentía cada una de las palabras, y lo mismo les ocurría a los demás miembros de la clase. Ahora, la Tierra era real. La vida de un hombre real los había conmovido y tenían el corazón repleto. Ahora, la enseñanza se hacía tangible.

El Anciano Em siguió hablando pausadamente.

—La vida desafiará la solidez de vuestro compromiso —dijo—. Y sólo quienes lo renueven constantemente y luchen por el sueño, aun sin contar con hechos materiales que lo respalden, alcanzarán por fin el triunfo supremo. —El anciano hizo una larga pausa. Casi lo había logrado. El círculo de enseñanzas estaba a punto de cerrarse.

Entonces, añadió el golpe de gracia.

—Es necesario que las personas conozcan su propio poder. Si se deciden a luchar por un mundo nuevo, una visión realizable para sus hijos y los hijos de sus hijos... si quieren comprometerse y volver a comprometerse por esta visión y cada día dan pequeños pasos hacia esa meta, el nuevo mundo acabará por hacerse realidad.

El Anciano Em calló. La claridad había inundado el aula. Todos los alumnos le comprendían.

—¿Tenéis alguna pregunta? —dijo premeditadamente.

Sabía que no las habría. Había terminado. Las tres primeras simulaciones, y todas sus lecciones, habían llegado a su conclusión. Se había hecho el silencio en la sala, no sólo como respuesta a sus preguntas, sino también porque el silencio era la consecuencia de su comprensión. El Anciano Em se alejó de su mesa.

—Está bien —dijo—, separémonos para preparar la cuarta y última simulación. Descansad, rejuveneceos y estudiad.

12

Falta un mantra

La textura de las emociones de Justin estaba, como mínimo, emborronada, todavía resentida de su experiencia, expulsada de su letargia romántica por el encuentro en la Tierra.

—Estoy bien, de verdad —insistía ante las dudas de Élan. Confuso por la mezcla de emociones, estaba de pie en el umbral de la puerta, delante de Élan y Zendar; se preguntaba por qué le habían seguido hasta su habitación—. Pero me noto cansado —añadió, tratando de ocultar sus verdaderos sentimientos.

—A mí me parece que quieres negar la realidad. —dijo Élan, mientras pasaba por su lado—. ¿Podemos entrar? —añadió, al mismo tiempo que entraba en la habitación.

Conocía bien los signos; la tensión se reflejaba en torno a los labios y los ojos de Justin y había como un vacío en su voz. Zendar también entró y observó de cerca el rostro del muchacho.

—Estoy bien —insistió Justin, en respuesta a la mirada de Zendar—. De verdad.

Élan no cejaba en su empeño.

—Yo también quise que me dejaran solo. —Reconocía con demasiada claridad los síntomas.

—¿Qué quieres decir?

—Después de mi simulación, quedé muy maltrecho.

—Decidió abandonar el plan —le dijo claramente Zendar.

—¿De verdad? —Justin no acababa de creerlo; parecían entender sus sentimientos mejor que él mismo.

—De verdad —confirmó Élan.

—Y no sólo eso —le dijo Zendar, torciendo el gesto—. Quedó hecho un desastre. Lo encontré sobre la cama como un fardo, jurando que no estaba dispuesto a nacer.

Justin se imaginó a Élan acurrucado en la cama y se puso a reír.

—¿Es cierto eso que me decís?

Contempló a Élan. Le costaba imaginar a su amigo haciendo algo así; siempre había estado muy seguro de sus metas. Élan frunció el ceño.

—No llegué a esos extremos —replicó. Se volvió hacia Zendar, y añadió—: No exageres, Zen.

—No estoy exagerando —dijo Zendar, y rió, mirando a Justin—. Estaba terrible, completamente insoportable.

—De acuerdo. Fue difícil —confirmó Élan.

Justin rió abiertamente. Se relajó. La imagen de su amigo negándose a nacer le había animado. Finalmente, podría compartir sus sentimientos.

—Así pues, ¿no soy el único que se siente confuso?

—¡En absoluto! —le respondió Élan—. Por eso estamos aquí.

Justin respiró hondo, con fuerza.

—Entonces, ¿qué me ocurre, Élan? ¿Por qué me siento tan perdido?

—Por la Condición Humana, Justin —le respondió Élan—. Es como un virus. Se implanta en tus células y aflora al cabo de cierto tiempo. Cuando crees haber pasado la prueba, cuando, por así decirlo, crees haberte sobrepuesto a las circunstancias, te asalta el sentimiento de resignación. —Élan señaló a Zendar—. No sé si habría logrado superarlo sin la ayuda de Zen.

Justin asintió y se volvió hacia Zendar. Apreciaba la amistad que le unía a Zendar y Élan. Sabía que los necesitaba.

—¿Por qué no vienes a la habitación de Élan y estudias con nosotros, por si queda algún residuo? —dijo Zendar dándole una palmada en el hombro a Justin.

—Debéis de tener razón, me conviene un poco de compañía. —Justin se sentó sobre la cama. Tenía un plan. Pero había de comenzar por otras cosas—. Dadme unos minutos para descansar y luego iré. —Se tumbó sobre la cama.

—¿Prometido?

—Prometido.

—De acuerdo. —Élan se acercó a la puerta y Zendar le siguió—. Nos vemos dentro de un rato.

—En seguida —confirmó Justin cuando la puerta se cerraba.

Vacilando tan sólo un momento, Justin cogió el manual y se acercó a la puerta. La abrió con sumo cuidado y se asomó al pasillo. Al ver que no había nadie, se marchó por la izquierda, hacia la habitación de Ashley.

Mientras andaba por el corredor, las escenas se sucedieron a la velocidad del rayo en su mente. *Su primera mañana en la Tierra, y la misma Tierra, con toda su belleza. Ashley, y la fuerza interior que había descubierto en ella. Cómo la valoraba y apreciaba. El sueño de Ashley. El viaje en autobús. Su confusión, a causa de un error que no había sido un error, porque había permitido que el sueño de Ashley se cumpliera. La banda. El miedo. La rabia cuando le dijeron que se iban a llevar a Ashley...*

Su corazón estaba lleno de recriminaciones. *Ashley... la había defraudado. No querría encontrarse con él cuando hubieran nacido. No podía reprochárselo. Era más fuerte que él.* Su mente fue recordando todos los miedos, todas las emociones. *Se lamentó de su fracaso, de la pérdida de dominio sobre sí mismo. Sintió su propia furia y su ira, su frenesí y la confrontación con su propia violencia. Volvió atrás en el tiempo y recordó el horrible placer que había sentido cuando Leon y Gino cayeron al suelo. La vergüenza que había sentido al exhibir su enloquecida furia delante de Ashley.*

Justin suspiró y musitó el nombre de Ashley. Nacer sin ella le parecía algo triste. Tras haber pasado todo un día con ella, ¿cómo podía dejarla? Si Ashley le prometía que iría a buscarle después de que hubieran nacido, entonces podría tranquilizarse y gozar del resto de la instrucción. *Ashley... recordaba su dulzura y su coraje, su sensibilidad, unida a su voluntad indomable, su serenidad, combinada con su grandeza de espíritu. Lamentó haber golpeado a un hombre. Se odiaba por haber perdido el control. Sabía que la había defraudado. Tenía que hablar con ella. ¿Y si Ashley se burlaba de él? ¿Qué le iba a decir? No lo sabía.*

Tal vez pudiera empezar hablándole de la visita de Élan y Zendar. Eso haría. Estaban preocupados por su condición, por la posibilidad de que hubiera quedado atrapado en la Condición Humana. Pero ¿cómo lograría abordar la verdadera pregunta? ¿Cómo iba a descubrir las verdaderas intenciones de Ashley?

Al llegar a la puerta, vaciló. Tenía las palmas de las manos sudadas. ¿Y si le tomaba por estúpido? No, tenía que asegurarse de que Ashley estuviera bien. No habría sido justo abstenerse de hacerlo. Al fin y al cabo, tanto Élan como él mismo habían necesitado ayuda. Llamó suavemente a la puerta. Ashley abrió. Cuando los ojos de ambos se encontraron, Justin sintió como el corazón le latía en el pecho. Fue ella quien rompió el silencio.

—He estado pensando en ti, Justin.

—¿De verdad? —Justin se aclaró la garganta—. Y yo en ti —dijo torpemente—. He venido a ver si te encuentras bien.

—¿Que si me encuentro bien? —Los ojos garzos de Ashley expresaron confusión—. ¿Qué quieres decir?

Justin le habló con voz temblorosa.

—Bueno, Élan y yo... —Clavó la mirada en ella. No cabía duda de que Ashley se encontraba bien. Comprendió que sería mejor cambiar de tema—. No importa —dijo. ¿Por qué siempre se sentía tan extraño en presencia de Ashley? Aún tenía el corazón acelerado. Se aclaró de nuevo la garganta y trató de aparentar indiferencia—. Hum... ¿estabas pensando en mí?

—Bueno, sí. —sonrió Ashley. A veces, Justin parecía tan joven... Casi podía leer sus pensamientos—. Yo... —De repente, la muchacha vaciló. Rogó haber entendido bien lo que le ocurría a Justin—. He estado pensando mucho. Allí abajo formábamos un equipo perfecto. ¿Qué te parecería si nos buscáramos después de haber nacido?

Justin abrió los ojos como platos.

—Qué gran idea —balbuceó—. No se me había ocurrido.

—Ah, ¿no? —Ashley se daba cuenta de su perplejidad.

—Bueno, sí, algo así —dijo entrecortadamente. No podía creer en lo que oía. ¡Ella también quería encontrarle! Qué consuelo. No podría haber pedido más. Ashley estaba decidida a encontrarle. Justin no necesitaba nada más—. En cualquier caso —añadió, aparentando despreocupación—, creo que has tenido una buena idea.

—¿Crees que podremos hacerlo? —le preguntó Ashley.

—¿Hacer qué?

Justin ya creía ver el encuentro. Se preguntaba por la edad que tendrían entonces y por lo que vestirían.

—Encontrarnos —le repitió Ashley.

—Sé que podremos —le aseguró. Había salido de sus ensueños—. Te encontraré ocurra lo que ocurra, Ashley. —Le tomó la mano—. Te lo prometo.

Ashley asintió.

—Yo también te buscaré a ti. —Había paz en sus ojos.

Justin se sintió completo. Lo demás era cuestión de tiempo. Iban a encontrarse de nuevo algún día. Lo sabía.

Justin le estrujó la mano.

—Gracias, Ashley.

Sintió como el corazón se le elevaba. Ya lo había hecho. Se volvió y se marchó por donde había venido. Ashley sacudió la cabeza al verlo doblar la esquina y desaparecer. ¿Qué había en aquel hombre? La había satisfecho en una necesidad que la propia Ashley no comprendía. ¿Tal vez con su inocencia juvenil o con su poco sofisticada fuerza interior? Ashley sabía que Justin aún no tenía plena consciencia de sus capacidades. Juró para sí que algún día la adquiriría y cerró la puerta.

Tras doblar la esquina, Justin se echó a correr. Al llegar a la habitación de Élan, abrió aparatosamente la puerta. Jaron y Brooke se giraron; estaban charlando con Zendar en el centro de la habitación.

Élan, sentado en su ventana, levantó los ojos, asombrado por la fluctuación energética de Justin.

—¿Para eso te ha servido el breve descanso?

Al ver a Jaron y a Brooke, Justin vaciló.

—No ocurre nada —dijo Zendar, en respuesta a la mirada de Justin—. Los cuatro tenemos una relación muy estrecha. Venga, entra.

Justin entró y cerró la puerta. Incapaz de seguir ocultando sus emociones, estalló.

—¡Ha dicho que me va a buscar!

—¿Quién te ha dicho que te va a buscar? —le preguntó Élan.

—Ashley.

—¿Has ido a ver a Ashley?

—Sólo por si sufría resignación. —Justin refrenó su entusiasmo—. Después de que os marcharais, pensé que valdría la pena asegurarse de que se encontraba bien.

En pocos minutos, Justin les contó todo lo que había ocurrido desde que Élan y Zendar se marcharon de su habitación. Les habló de los reproches que se había hecho a sí mismo y les contó que había perdido el control delante de Ashley. Les habló del miedo, de la ira, de la rabia que había conocido en su día en la Tierra. Les explicó lo que sentía por Ashley y su anhelo por encontrarse con ella después de haber nacido. Mientras les repetía las palabras de la muchacha, creyó estar viendo otra vez su rostro.

Jaron había estado observando cada uno de sus gestos. Hechizado por la sinceridad de Justin, se preguntó si él mismo podría expresar sus propios sentimientos para con Brooke con idéntica franqueza y honestidad. Nunca había hablado del futuro con ella. La miró de reojo y se preguntó por la reacción que encontraría al abordar el tema. Sintió que se derretía mientras lo pensaba.

Cuando Justin hubo callado, Jaron oyó su propia voz excusándolos a ambos.

—Brooke y yo tendríamos que marcharnos ya —dijo.

La joven le miró, perpleja, pero le siguió sin vacilar.

—Creo que ahora vamos a estudiar por nuestra cuenta —dijo, siguiéndole hasta la puerta.

La profundidad de los sentimientos de Justin también había despertado algo en ella.

Cuando hubieron salido, Justin se sintió contrito.

—No quería echarlos.

¿Por qué había tenido que demostrar sus emociones delante de ellos? No tendría que haber hablado de aquella manera delante de unos extraños, aunque fueran amigos de Élan y Zendar.

—No los has echado. —Zendar se sentó sobre la cama—. No creo que su reacción se haya debido a ti.

—Yo pienso lo mismo —añadió Élan—. Creo que has despertado en ellos algo a lo que nunca se habían enfrentado.

—Por ejemplo, los sentimientos del uno por el otro. —Zendar completaba así la reflexión de Élan—. No creo que Jaron supiese cuáles eran sus verdaderos sentimientos —«añadió— hasta que tú le expresaste los tuyos.

—¿De veras? —le preguntó Justin.

—Por ahora, no puedo conjeturar otra cosa. —dijo Zendar encogiéndose de hombros—. Pero he observado el rostro de Jaron mientras hablabais. Algo lo ha conmovido. Se ha visto en sus ojos.

Justin sintió alivio. Inspirado por su conversación con Ashley, estaba dispuesto a proseguir con sus estudios.

—Estoy listo para seguir avanzando —dijo—. Estudiemos.

Justin cogió el manual, buscó el siguiente mantra y se ofreció para leer.

• • •

LOS MANTRAS DE MATOS

Ten fe
(7)

Ten fe en ti mismo, y ten fe en que todo es posible. El poder del Uno es infinito. Sostén la realidad de los milagros aunque no dispongas de pruebas físicas. Ten fe en la vida, porque la vida sabe cómo salir adelante.

Ten fe en que recibirás todo lo que precises para cumplir tu destino y para sanar el planeta. La vida actúa, y actuará a través de ti si te apartas a un lado y le permites actuar.

Entrégate
(8)

Entrégate a la consciencia de que eres espíritu. Cuando nos entregamos a esta consciencia, el mundo se trans-

forma. Ya no podemos juzgar ni criticar. Tampoco podemos sentir celos ni odio.

Entrega tu voluntad a la voluntad del Uno. Entregarse no es lo mismo que rendirse. No es una actitud pasiva. Al contrario, consiste en luchar activamente para transformar el mundo que nos rodea, sometiendo el ego con un corazón compasivo.

En el alma que se entrega, el corazón se derrite y se funde, y el mundo exterior se mezcla con el interior. Desde ese momento, ya nada es lo mismo, porque el alma deviene en portadora de amor y enriquece a los demás, del mismo modo que el amor la ha enriquecido a ella.

—¿Eso es todo lo que está escrito? —Justin se volvió y miró a Élan y Zendar desde el lugar que ocupaba en el suelo—. ¿Vuestro libro termina en la misma página que el mío?

—Eso parece —corroboró Élan.

—¡Y el mío también! —afirmó Zendar.

—Entonces, ¿qué le ha pasado al noveno mantra? —Élan iba pasando las páginas con la vaga esperanza de que apareciese.

—Yo tampoco lo tengo. —Zendar contemplaba la página en blanco.

—Tal vez se hayan confundido. —Justin se encogió de hombros—. ¿Creéis que deberíamos decírselo al Anciano Em para que no quede en evidencia en la clase de mañana?

13

La llamada de Rhea

El Anciano Em dejó el manual y se sentó delante de su escritorio, en la intimidad de sus aposentos; los últimos estadios del plan quedaban revisados y definitivamente preparados. Apoyó los codos sobre la mesa y juntó las manos en actitud contemplativa.

—Qué sesión —pensó, al pasar revista a los sucesos recientes.

Justin y Ashley lo habían hecho muy bien. Al principio, había deliberado si debía enviarlos juntos, y finalmente, cuando ya estaba en la última fase de preparación de la simulación, se había decidido a hacerlo. Ahora, sentado delante del escritorio, después de haber puesto en obra el proyecto, se sentía satisfecho. Los resultados habían sido mejores de lo esperado. Aquel tramo de simulación le había brindado una oportunidad de hacer extensas disertaciones acerca de la Condición Humana.

De hecho, viéndolo en conjunto, el plan estaba funcionando a la perfección. En cada una de las sesiones, los alumnos se hacían más fuertes y resistentes. Con cada nueva fase de simulación, su nivel de compromiso se elevaba. Sus auras brillaban más y, gracias a la amplia instrucción que recibían, aun su amnesia perdía fuerzas. Cuanto más pudieran sus alumnos contrarrestar el efecto amnesia durante la simulación, mayores serían sus posibilidades de triunfar en cuanto hubieran nacido. Esto aceleraría su despertar de la amnesia de la Tierra. En suma, iban a acercar la Tierra a su momento de masa crítica.

El Anciano Em se desperezó en su silla giratoria con un suspiro de satisfacción. La sesión había sido intensa y enriquecedora y le había dejado secuelas de cansancio. Decidió echar una cabezada para rejuvenecerse y se arrellanó en la silla acolchada. Al hacerlo, resbaló desde los parajes de la consciencia hasta el mundo de los sueños, donde los hechos transcurren en otro contínuum.

Las imágenes translúcidas se sobreponían y disolvían unas dentro de otras. Respiró hondo; estaba cayendo en una tierra sin tiempo, de imágenes fugaces. *La Tierra, con su desgarradora distorsión y sus súplicas de ayuda. El propósito original y el programa de aprendizaje definitivo. El rostro de Raoul y la mirada que intercambiaron cuando hubieron puesto a punto el primer manual.*

Esporádicamente, se le aparecían imágenes del aula: *el rostro de Élan, cuando salió delante de la clase para participar en la primera simulación; Jaron, cuando combatía la tristeza en la barca, con James; Justin y Ashley, que recibían sus últimas instrucciones antes de partir; la pareja rodeada por rostros odiosos y burlones; Élan, solo delante de los remolinos, a orillas del río; el cuerpo de Zendar, de pie, rígido, viendo a su amigo capturado por la corriente del río; los ojos de Brooke, que habían seguido cada uno de los movimientos hechos por Jaron en el curso de su simulación; Élan y Zendar, cuando el primero se había remolecularizado delante de la clase; y la franca pregunta de Élan concerniente a Rhea.*

De pronto, la escena cambió. El Anciano Em se encontró en un campo de flores amarillas. Al este se hallaba el monte Akros. Al oeste, vio una pequeña figura solitaria que andaba por un sendero hacia la montaña. Al principio, no pudo ver de quién se trataba. Entonces, distinguió la figura de una mujer. Aun a cierta distancia, sintió su energía... se trataba de Rhea. Caminaba con un propósito, como si hubiera estado de viaje y conociera su destino. Al acercarse a ella, el Anciano Em logró ver algo de su cara. La halló resplandeciente. Rhea estaba tranquila y alegre, pero concentrada en su intento. La observó durante un rato y ella no volvió la mirada ni advirtió su presencia. Parecía estar profundamente resuelta.

De pronto, el Anciano Em tuvo una sensación extraña, glacial. Le subió desde los pies, engulló sus rodillas y caderas y se difundió por todo su cuerpo. Miró hacia abajo y contempló con horror cómo las flores de color amarillo se volvían marrones y se marchitaban ante sus ojos. Como una postal que se hubiera descolorido bajo el sol, todo el paisaje iba adquiriendo un color turbio. Trató de caminar, pero le pesaban los pies. Dondequiera que mirase, hallaba muerte. Sus pasos eran lentos y dificultosos.

El Anciano Em gimió y volvió la cabeza ligeramente hacia la derecha; la escena cambió de nuevo. De súbito, se vio en una ciudad, andando a toda prisa por una calle larga. Estaba buscando a Rhea. Se sintió perdido, profundamente desesperado, derrotado por la pena. Cada vez que doblaba una esquina, se encontraba con un callejón sin salida. La llamó por su nombre y las paredes de los edificios le devolvieron el eco.

Entonces, las calles desaparecieron. Rhea estaba delante de él, en el centro de una gran sala. Vestía un traje azul, y de repente parecía pequeña, disminuida por las dimensiones de la estancia. Tenía las facciones hundidas. Sus ojos suplicaban, sus ojos redondeados y nostálgicos, con los contornos tensos.

—Necesito tu ayuda —se limitó a decir, a media voz—. Me he perdido.

Cuando el anciano iba a tenderle la mano, una llamada en la puerta rompió súbitamente el contacto. Toda la escena se esfumó. El Anciano Em estaba sentado, rígido, y Rhea desaparecía de los márgenes de su mente. «¿Adónde ha ido?», pensó, y parpadeó en un intento de sacudirse el tormento y el dolor.

Al comprender que había alguien en la puerta, trató de recobrar la compostura. «Entra», dijo, medio consciente. La diestra de Justin abrió la puerta. Élan estaba de pie en el pasillo detrás de él.

—Y bien —el anciano tomó aliento y se apresuró a fingir alegría—, ¿qué hacéis vosotros dos aquí? —Esforzándose todavía por aparentar compostura, añadió—: ¿Y dónde está Zendar?

Aun entonces, seguía viendo el rostro de Rhea. La sensación glacial con que el color de la muerte se había extendido sobre su cuerpo aún persistía. El sueño le había dejado siniestros presentimientos.

—Ha querido releer el texto una vez más antes de acudir a clase —le respondió Justin.

—Por favor. —El anciano vaciló pasajeramente en sus esfuerzos por mantener la calma—. Entrad. —Sacudió la cabeza, tratando de despejarse. Mientras hablaba, seguía viendo el rostro de Rhea.

—¿Llegamos en mal momento? —Élan no pudo evitar ver la mirada del anciano.

—En realidad, no. ¡Sólo que me habéis pillado echando la siesta! —Notó que sus alumnos le miraban estupefactos y se apresuró a añadir—: ¡Perdón, es una expresión terrestre que quiere decir «dormir un rato»! —Se puso en pie para recibir a los dos jóvenes—. Por favor, entrad.

Señaló el otro extremo de la sala.

—Por favor, pasemos a la otra habitación —dijo—. Es mucho más cómoda.

Los dos le siguieron al dormitorio de su espacioso alojamiento. Élan tomó nota en seguida de la extensión de éste. Era tan amplio que habría podido servir como sala de reuniones. La cama tocaba a la pared, en uno de los extremos de la habitación, y, justo delante de la puerta, había un sofá y dos sillas iguales dispuestos en semicírculo. Una mesilla alargada se interponía entre ambas sillas. El Anciano Em se acercó a la lámpara que reposaba sobre una de las esquinas y pulsó el pequeño interruptor oculto por la pantalla.

Les indicó con un gesto que se sentaran en el sofá y escogió una de las sillas para él.

—¿En qué puedo ayudaros?

—Esto sólo es una visita rápida —le dijo Justin, que se sentía incómodo.

Se estaba arrepintiendo de haber insistido en ir allí. ¿Cómo no se había dado cuenta de que no iba por buen camino? Tanto Élan como Zendar habrían preferido hablar con el anciano en clase. Ante su insistencia, Élan había accedido finalmente a acompañarlo.

—Se trata del manual —dijo con dificultad, mostrando el libro.

—Sí.

El Anciano Em imaginó lo que iban a decirle. Le hablarían del mantra que faltaba. Había imaginado que alguien se lo comentaría, pero no tan pronto. Había contado con responder a aquella pregunta en clase. En ningún momento había sospechado que alguno de los alumnos pudiera ir a visitarlo en privado con aquel objetivo. Pero Justin era tan impetuoso... habría tenido que preverlo. Le habían sorprendido con la guardia baja y no estaba seguro de lo que iba a decir. Había contado con tener que explicarse en la situación más favorable de estar dando clase en el aula.

—Bien, los tres estábamos estudiando juntos y notamos que faltaba una página. —Se lanzó Justin, incapaz ya de detenerse.

—¿Qué quieres decir con eso de que falta una página?

—No sé... —contestó, vacilante.

—¿No nos habías dicho que había nueve mantras? —Élan trató de sacar a Justin de su embarazo.

—Sí.

—Bien, pues —añadió Justin, que ahora sentía el apoyo de Élan— falta el noveno. —Pasó las páginas hasta llegar al octavo mantra—. Mira —dijo, y pasó otra página—, esto es sólo el apéndice. ¿Dónde está el noveno mantra? La última página está en blanco.

—No me digáis que no nos dimos cuenta al inspeccionarlo —dijo el Anciano Élan, y tomó el libro de las manos de Justin—. Tenéis razón, parece que falta una página.

Aquello era perfecto, los alumnos le estaban proporcionando una coartada perfecta.

—Nosotros mismos revisamos el libro —dijo—. ¿Cómo puede habérsenos escapado un error así? Procuraré que esto se discuta en la próxima reunión, ¿de acuerdo?

—Perfecto, Anciano Em. Bueno, supongo que el asunto queda arreglado. —Justin, que aún se sentía algo incómodo en presencia del anciano, miró significativamente a Élan, y ambos se pusieron en pie para marcharse—. Sólo queríamos advertirte para que no te sorprendieran con ese tema en clase.

—Gracias, Justin, te lo agradezco de verdad. —El Anciano Em los acompañó hasta la puerta. Entonces vio una oportunidad y se dirigió solamente a Élan—: ¿Podrías quedarte un momento?

Élan se sobresaltó. Él también estaba deseoso de hablar con el anciano.

—¿No te importa, Justin? —preguntó.

—Por supuesto que no —respondió éste, contento de que fuera Élan, y no él, quien debía quedarse a hablar a solas con el anciano. Había comprendido su propia inoportunidad y se había sentido incómodo durante la visita.

—Gracias por haber venido. —dijo el Anciano Em dándole una palmada en el hombro a Justin mientras abría la puerta para que saliera.

—Hasta pronto. —Justin inclinó la cabeza a modo de despedida—. Nos vemos en clase —añadió cuando se marchaba por el pasillo.

—¿Quieres hablarme de Rhea? —balbuceó Élan en cuanto la puerta se hubo cerrado y ambos se quedaron solos en el centro de la sala.

Rhea siempre ocupaba el lugar prominente en sus pensamientos, y tenía esperanzas de que el anciano supiese algo de ella.

—Bueno, en cierto modo, sí. —El anciano le miró con sorpresa—. Pero sólo indirectamente. —Se volvió y señaló las sillas—. En realidad, quiero hablar de ti. ¿Cómo te va todo, Élan?

—¿A mí? —Élan se sorprendió—. Todo bien, Anciano Em. —Y entonces, pensando que tal vez se refiriera a la resaca de las simulaciones, añadió—: Tuve una ligera caída después de la primera simulación, pero la he superado y ahora todo me va muy bien.

El Anciano Em se sentó y le indicó a Élan que hiciera lo mismo. Sus ojos escrutaron el rostro del joven. No estaba muy seguro de qué decirle ni por dónde empezar. Había actuado movido por impulsos. Algún aspecto de su sueño le había turbado. Sabía que era necesario ayudar a Rhea, pero no sabía muy bien en qué, ni lo que iba a requerir esa ayuda. Tenía que hablar con Élan para evaluar sus fuerzas.

—No sé muy bien por dónde comenzar, Élan. Sólo me guía un sentimiento, así que deberás perdonarme si te parezco torpe.

—No te preocupes. —Élan se daba cuenta del tormento

que sufría el anciano—. Dime lo que te inquieta y yo trataré de comprenderlo.

El anciano se puso en pie. Se acercó a la ventana de la habitación; las imágenes de Rhea seguían torturándole. Apartó la cortina y contempló las densas brumas. Por un momento, Élan se preguntó si el Anciano Em habría sido capaz de traspasar la niebla en alguna ocasión. Él mismo había estado a punto de hacerlo, por lo que parecía lógico que el anciano pudiera perforar los éteres y ver lo que había al otro lado.

—Quería charlar contigo durante un rato, pero éste no es un buen momento. —Las palabras del anciano se habían colado entre los pensamientos de Élan—. ¿Has estudiado los dos últimos mantras?

—He estudiado los dos últimos que tenemos. Faltaba el noveno. —Élan se inclinó hacia adelante con interés—. ¿Por qué?

—Ésos son los dos que necesito. —El anciano se volvió hacia Élan—. Porque, algún día, esos dos significarán algo especial para ti.

—¿Cómo es eso? —Élan intuyó que el anciano estaba tratando de decirle algo más.

—Se acerca el momento en que vais a nacer. —Élan asintió—. Y durante tu tiempo de vida, en tu trabajo, tendrás que creer en ti mismo, Élan. —El anciano se acercó al sofá y se sentó. Su larga túnica gris le caía en pliegues hasta los pies—. Como muchas otras almas de este tiempo, vivirás una vida plagada de retos. Te verás arrastrado en muchas direcciones, pero habrá un sendero, un camino para ti. Con el fin de seguirlo, tendrás que entrar en tu interior y creer en ti mismo y en tu propia conexión interna. ¿Lo comprendes?

—Creo que sí, Anciano Em. —Élan estaba pensativo—. Me parece que creo en mí mismo lo bastante para seguir mi propio corazón. Algo así como escuchar la canción de mi propia alma.

—La capacidad de escuchar y la fe están claramente conectadas.

—Pero no sé si entiendo qué tiene que ver la entrega con todo esto.

—¿Qué te parece a ti que puede tener que ver?

La mirada de Élan recorrió el suelo.

—La entrega es uno de los conceptos más profundos. Creo que comprende mil cosas distintas. —Élan se puso en pie y se alejó de las sillas. Paseando por la sala, recompuso sus ideas—. Zendar, Justin y yo hemos tenido que esforzarnos mucho con este mantra. —Contempló las brumas por la ventana y se volvió de nuevo hacia el anciano—. Esa entrega parece una paradoja. Justin entendió que, según ese mantra, él y Ashley habrían tenido que entregarse a la banda. Pero al final, llegamos a la conclusión de que no era eso. Entregarse no es lo mismo que abandonar o rendirse. —Calló por unos momentos—. Creo que la entrega es una opción consciente. Es una decisión activa de aceptar las cosas tal como son y trabajar con ellas.

—Esa idea está bien. —El anciano estaba complacido con la profundidad de aquellas intuiciones, pero aún no habían salido del plano de la filosofía—. Llévala a la realidad por mí, Élan.

—Ahí vacilo, Anciano Em. —Élan sacudió la cabeza—. Mi experiencia en la Tierra es limitada y en muchas ocasiones tengo problemas para proporcionar ejemplos tangibles. ¿Podrías ayudarme...?

—Vamos a usar tu propia vida como ejemplo.

—¿Quieres decir la vida que me aguarda?

—Sí. —El anciano, sin levantarse, inclinó el cuerpo hacia adelante. Estaba pensando en Rhea—. Tal vez no siempre puedas conseguir lo que esperes de la vida, Élan, pero es ahí donde interviene la entrega.

Élan se sentó, confuso.

—No estoy seguro de entenderlo, pero sigue adelante, por favor.

—A veces, puede que ruegues por algo y tal vez te parezca que no lo consigues. Puedes llegar a sentirte muy perdido o solo en la vida. Pero en esos mismos instantes, interviene la entrega. Verás, una sabiduría más elevada guía nuestras vidas y cuida de todos y cada uno de nosotros. Tendrás que creer en que esta sabiduría más elevada mantiene cada cosa en su sitio y que la vida sigue adelante. Tendrás que entregar la reducida ventana de tu conciencia a la visión más elevada del todo y confiar en que esta prodigiosa red de conciencia os guiará, a ti y al verdadero amor de tu corazón, más milagrosamente de lo que hubieras creído posible.

—¿Estás hablando de Rhea?

—Sí. Y no sólo de Rhea.

—¿De qué...?

—Del trabajo que vas a realizar.

—Entonces, ¿tendré que luchar?

—A veces.

—¿Y esto me reportará alegrías?

—Grandes alegrías. Pero no llegarán en seguida. Se te mostrarán a su debido tiempo.

—Tengo la cabeza hecha un lío. Pero mi corazón siente y comprende.

Élan estaba sereno. Oyó la callada melodía que ya había sentido en la Tierra al enfrentarse a la montaña. Era su propia canción.

—Gracias, Anciano Em. Te quiero.

—Yo también te quiero a ti, hijo mío.

—¿Eso es todo?

—Sí —respondió el anciano con voz suave—. Eso es todo.

Cuando el anciano acompañaba a su alumno hasta la puerta, ambos sintieron el vínculo que los unía. Élan supo que, de algún modo, aquel momento le acompañaría siempre y le sostendría en tiempos de necesidad.

Al cerrar la puerta, el Anciano Em se sumió de inmediato en sus pensamientos. Atravesó la habitación a paso lento, hacia el estudio. El plan se estaba cumpliendo. Élan ya estaba preparado. Había aprendido prudencia y adquirido fuerzas. Zendar estaba preparándose. Jaron y Brooke empezaban a comprender que su relación era más fuerte de lo que habían creído al principio. Justin y Ashley descubrirían su propio compromiso. El poder de su amor acabaría por sostener a otros de los que tomaban parte en el plan.

Quedaba lo de Rhea. Pensando en ella, volvió a rememorar el sueño. Con los ojos fijos en su escritorio, podía recrear casi todas las escenas. Veía sus ojos, muy abiertos, suplicantes, tensos. La voz de la joven le resonaba dentro del cerebro: «Necesito tu ayuda. Me he perdido».

Sintió el vacío, la desesperación de Rhea. ¿Qué le había ocurrido? ¿Qué le había ido mal? ¿Acaso el anciano se había abstraído demasiado en este nuevo programa de aprendizaje? Sus últimas noticias de Rhea habían sido que estaba enseñando en una escuela bajo la guía de Tara. Había creído sinceramente que se encontraba bien, estable en su viaje. ¿Qué podía haberle ocurrido desde entonces? Algo debía de haber cambiado.

Se sentó delante del escritorio e inclinó la cabeza, pensativo. Serenó su mente, rogando una respuesta. Un callado trueno le engulló, y perdió toda conciencia del espacio que lo rodeaba. Aguardó con intención pura y, de pronto, le llegó la respuesta. Su mente estaba presta, y había contemplado una osada nueva opción.

14

La última simulación

Zendar estaba listo. Había ayudado a sus amigos a superar las consecuencias de tres simulaciones. Había visto el efecto de las energías de la Tierra y de la Condición Humana en sus psiques individuales. Había pensado mucho en ello y se sentía preparado, tan preparado como era posible. No era ingenuo. Ni tan necio como para creerse libre de todo peligro. Pero sabía que lo había hecho tan bien como había podido, y que eso, al fin y al cabo, es lo máximo que se puede pedir.

El Anciano Em le vio en el mismo momento en que entraba en el aula detrás de Élan. Su atención parecía centrada en alguna oculta llama interior. Zendar fue hacia su silla sin advertir que los ojos del anciano lo seguían. Se sentó con la seguridad de quien abriga un silencioso propósito, pero sin tratar de fingir. Estaba totalmente absorto, con la mente fija en un objetivo. Zendar rogó tener fuerzas y buena suerte, dos cosas que toda persona necesita para su misión.

Élan estaba atento al callado mensaje que se transmitía en el silencio de Zendar. Sabía que esta vez le tocaría a él. Lo sentía en cada una de las células de su cuerpo. Élan habría querido acompañarle, pero sabía, por propia experiencia, que cada uno depende de sí mismo. Vigilando a su amigo por el rabillo del ojo, imploró a la gran divinidad que lo protegiera. Zendar era el mejor de los mejores y merecía el auxilio del cielo.

Élan alzó los ojos; Justin acababa de entrar en la habitación. Andaba con paso ligero y parecía animado. Le dio las gracias en silencio, con un gesto, a Élan, y se sentó con Ashley en el otro extremo del aula. Élan respondió a su gesto y sonrió. Apreciaba a Justin. Había llegado a sentir un vínculo especial entre ambos.

Momentos después, Brooke entró en el aula; Jaron le sujetaba la puerta. Élan le hizo señas a Zendar. Los dos parecían contentos. Se sentaron juntos al fondo de la sala. Por un momento, Élan sintió envidia. Pensó en su reciente conversación con el anciano y supo que su propio camino sería distinto. Requeriría otra especie de fortaleza.

Al fijarse en el resto de la clase, Élan sintió calladas emociones en el aire. Una suerte de expectación flotaba, como una premonición, en la atmósfera de aquel día. Aquella había de ser la última simulación. Algo especial parecía estar aguardando tras el velo de aquellos últimos momentos. Iba a ocurrir algo. «Se siente en el aire», pensó Élan. Todos los demás parecían sentirlo también. Los alumnos intercambiaban susurros. Élan se preguntó si esto último se debería al misterio del mantra que faltaba o al júbilo de la última aventura. «Probablemente, a lo uno y lo otro», pensó.

Al aparecer el Anciano Em, Élan se estremeció. Los gestos del maestro evocaban algo trascendental.

—La última simulación está a punto de comenzar —anunció el anciano. Alzó las manos para ordenar silencio—. Sé que muchos de vosotros venís con preguntas y os prometo que todas hallarán respuesta durante esta última fase de vuestro aprendizaje.

Justin no levantó la mano. Había tenido la intención de comenzar preguntando por el mantra, pero el Anciano Em le estaba pidiendo que aguardara.

—Os ruego que confiéis en el proceso —siguió diciendo, y

poco a poco su mirada se cruzó con la de Justin——. Ahora es el momento de creer y de entregarse. Creed en vuestra preparación y vuestra capacidad, y entregaos al proceso y al sendero. Cada uno de vosotros es especial —siguió diciendo—, y ahora, en esta última simulación, cada uno de vosotros vivirá en el corazón y la mente del individuo que se ofrezca como voluntario. —Calló por unos momentos—. Esta última simulación constituye el mayor de los retos, porque será la culminación de nuestro trabajo.

—Entonces, estoy listo —dijo Zendar con voz tranquila, y se puso en pie en el centro del aula.

Se hizo el silencio. La presencia de Zendar se hacía notar. Élan contempló como su amigo salía al frente de la clase con pasos regios y resueltos.

El anciano sonrió al verle acercarse. Él también se sentía orgulloso de los progresos de Zendar.

—Éste es el último trecho de nuestro viaje —le dijo al joven—. Serás transportado a Madison, una ciudad bulliciosa con más de siete millones de habitantes.

Mientras el Anciano decía estas palabras, Zendar quedó revestido instantáneamente con un atuendo de la Tierra.

—La ciudad se halla a unos setenta y cinco kilómetros de la falda del monte Akros. Llevas tu documentación en el bolsillo.

Zendar se tocó, sorprendido. Su bolsillo abultaba mucho. Sonrió.

—¡Eres extraordinario, Anciano Em!

La tensión que reinaba en el aula se apaciguó.

—En esta última simulación tendrás que enfrentarte a las Sirenas del Éxito, Zendar. Esas tres hechiceras tratan de capturar a todo el mundo. Muchos han perdido todo sentido de los valores reales, porque las sirenas del poder, la fama y el dinero compiten por su atención.

El Anciano Em se volvió hacia toda la clase y prosiguió.

—Estas sirenas anidan en cualquier parte del globo, pero crecen con especial fuerza en las ciudades. Son un trío peligroso, porque siempre te aprisiona, por lo menos, una de las tres. —El Anciano Em hizo una pausa y clavó los ojos en Zendar—. Tú tendrás un encuentro con el dinero y el prestigio, como aspectos de la fama. ¿Alguna pregunta, Zendar?

Éste negó con la cabeza.

—Ahora no —dijo—. ¡Pero estoy seguro de que más adelante las tendré!

—Las claves necesarias para que todo salga bien son la fe y la entrega, Zendar. —El anciano le miró fijamente a los ojos—. Cree en ti mismo y en tu capacidad, y entrégate al todo.

—¿Eso no es una paradoja? —preguntó Zendar.

—La vida en la Tierra es paradójica, Zendar. Te encontrarás con que la acción correcta suele hallarse entre dos aparentes polaridades y que a menudo incluye a las dos.

Élan estaba observando atentamente la interacción entre profesor y alumno. No apartaba los ojos de aquella conversación que aludía a significados más profundos.

—Si equilibras fuerza y flexibilidad, hallarás tu camino —concluyó el anciano, y se volvió hacia toda la clase.

Élan se arrellanó en su silla.

«Ha llegado la hora —pensó—. Tienes que ir, Zendar. ¡Hazlo bien, amigo mío!»

El Anciano Em se retiró detrás de su mesa y pulsó el botón de la pared. La parte delantera del aula crepitó de energía y Zendar se disolvió ante los ojos de todos.

Al instante, todo estalló. Los sonidos de las autopistas y las calles de la ciudad inundaron el aula. Una sirena de policía aulló al fondo para luego desaparecer. Zendar había aparecido en el centro de Madison, se había remolecularizado en medio de docenas de peatones que, en una esquina de la calle, estaban aguardando a que cambiara la luz del semáforo. Unos pocos de los que se hallaban a su lado habían detectado algo raro al verlo converger ante sus ojos. Pero antes de que pudieran entender nada, la luz del semáforo cambió, una riada de cuerpos se puso en marcha y todos se vieron obligados a seguirla.

Arrastrado por tanto ímpetu, Zendar no se dio cuenta de que el avance de la multitud le había salvado de provocar el caos en las calles de la ciudad. Mientras las turbas le empujaban, experimentó sensaciones que le resultaban ajenas. Primero, el flujo exterior de cuerpos y energías. Luego, los sonidos de las calles y de la ciudad: voces y coches se mezclaban en una combinación de discordantes sonidos.

Zendar sintió alivio: la muchedumbre subía a la acera y comenzaba a dispersarse en direcciones varias. Una vez se hubo orientado, se abrió paso hasta la fachada de un edificio, donde apoyó la espalda contra la cristalera de una tienda. Así, el río de cuerpos pasó de largo. Jamás había visto tantas personas moviéndose con tanta rapidez en direcciones distintas. Al contemplar el avance de las multitudes, regulado por un sistema de luces cambiantes, experimentó extraños sentimientos de apatía. Jamás se había sentido tan pequeño y carente de importancia.

Mientras observaba a la muchedumbre, Zendar se preguntó dónde se hallaría. Aun cuando se viera rodeado de gente, se sentía solo y perdido. Estas sensaciones de vaciedad le resultaban extrañamente familiares, pero su origen se le escapaba. La vibrante cacofonía de la ciudad en hora punta, la presión de las masas, le abrumaron los sentidos al contemplar la calle entre el gentío. ¿Por qué tanta energía? ¿Por qué tanto bullicio? El significado de las cosas le rehuía.

Los minutos pasaron y Zendar seguía observando las masas de gente desde su ventajosa posición, apoyado en la cristalera. La multitud comenzaba a dispersarse, pero los sonidos de las bocinas y del tráfico rodado aún se hallaban en su máxima intensidad. Como no comprendía el flujo y el reflujo de las horas punta, Zendar creyó que aquel intenso tránsito era continuo.

«Tengo que orientarme», pensaba.

Miró a derecha e izquierda buscando un camino por donde escapar y de inmediato localizó una puerta que se hallaría a unos diez metros. Se abrió paso entre la muchedumbre, cada vez menos densa. El cartel de la puerta le indicaba que empujara y, al hacerlo, se encontró en una gran sala de techo abovedado. Dondequiera que mirase, veía mostradores de cristal, y enfrente de él, a una distancia de unos siete metros, había uno circular, de madera, donde atendía una mujer. Delante de este mostrador había un cartel donde se leía «Información».

«¡Justo lo que necesito!», pensó Zendar, y se acercó hasta allí.

—Disculpe —le dijo a la mujer—. Necesitaría que me informara acerca del sitio donde estoy.

—Por supuesto —dijo ella, sonriendo.

Vestía una chaqueta de piel, sencilla pero elegante. Al poner la mano sobre el mostrador, Zendar vio que se había pintado las uñas de suave color malva.

—Ando un poco perdido —dijo, y se maravilló por unos instantes de las uñas pintadas. Jamás había visto nada parecido—. ¿Podría decirme dónde estoy?

—¡Oh, pues claro! —La mujer sonreía amistosamente e irradiaba confianza en sí misma. Al instante, Zendar se sintió bien recibido. La mujer buscó debajo del mostrador y sacó un plano de color verde y turquesa. Lo desplegó delante de él y le preguntó—: ¿Es la primera vez que viene a Daltons?

—¿Daltons? —preguntó Zendar—. ¿Así se llama la ciudad?

—Ah, ya veo —rió ella.

Zendar era un joven guapo, alto y serio, y tenía los ojos de un profundo color azul. Su apariencia atractiva le había ocultado su ingenuidad. Habría tenido que notarlo. Toda la gente del campo exhibía la misma «inocencia juvenil» al ir a la ciudad.

—¿Ha llegado recientemente a esta zona?

—Cierto, es la primera vez que vengo por esta región.

—¡Bueno, pues voy a aclararle las cosas! La ciudad se llama Madison. Daltons es el nombre de estos grandes almacenes. —Calló por unos momentos y luego añadió con entusiasmo—: Estoy segura de que este sitio le va a encantar.

—Estoy convencido de ello —dijo Zendar educadamente.

La mujer le miró con atención y siguió hablando.

—Recuerdo mi primera visita a Daltons. Me enamoré de este lugar. De hecho, sentí tal arrebato que gasté cientos de dólares antes de darme cuenta de lo que estaba haciendo.

Zendar se sorprendió del comentario, pero siguió charlando con ella. Al fin y al cabo, era una persona muy agradable.

—Mire —dijo la mujer, llamándole la atención sobre el plano—, nosotros estamos aquí. —Señaló una X en una zona verde del diagrama—. ¡Es aquí! El departamento de ropa para caballeros está aquí. —Mientras hablaba, su dedo se iba moviendo sobre el plano—. Y el departamento de electrónica está en la cuarta planta; ¡es el favorito de todos los hombres que conozco!

—Parece muy interesante. —Zendar se sentía confuso, pero no quería mostrarse descortés. Había esperado que le ofrecieran un plano de la ciudad. Tenía la impresión de que la mujer quería ayudarle, pero estaba perdido, y un plano de los grandes almacenes no iba a servirle para nada—. Le agradezco su amabilidad.

Muchas cosas le parecían extrañas. ¿Qué fascinación podía hallarse en ir de compras? Le desconcertaba que la muchacha mostrara tanto entusiasmo por los grandes almacenes.

—Éste es mi primer viaje a la ciudad y estoy buscando un

sitio donde pasar la noche. Tal vez mañana pueda volver con tiempo suficiente para disfrutar de Daltons.

—Oh, ya comprendo. Debe de estar agotado tras el viaje.

—Sí, lo estoy —confirmó Zendar, aliviado por haber encontrado una excusa.

—Bien, conozco un lugar que le puede interesar. Un hotel pequeño y tranquilo, a siete manzanas de aquí. No es muy caro —dijo, y sacó una hoja de papel y un lápiz de debajo del mostrador—, y podrá volver aquí cómodamente por la mañana en nuestro coche lanzadera gratuito.

—Eso es exactamente lo que necesito —dijo Zendar, refiriéndose tanto al hotel como al coche lanzadera—. Gracias.

Ante los ojos de Zendar, la mujer bosquejó un plano simplificado en el que aparecían las calles principales y las laterales de la zona.

—Es un edificio pequeño, algo pintoresco, construido a principios de los ochenta. El servicio es bueno, así que está limpio y ordenado, y cercano al centro.

Retrocedió y sostuvo su dibujo en el aire durante unos instantes, calculando su perspectiva. Como le pareció que faltaba algo, puso el plano sobre el mostrador y empezó a trazar nuevas líneas.

—¿Hay algún sitio donde comer? —preguntó Zendar—. ¿Hay algo en esta zona?

—¿Le gusta la comida italiana?

—Me encanta. —Zendar tenía la esperanza de que así fuera.

—Entonces, conozco un sitio perfecto. Está aquí, de camino hacia su hotel —dijo, e indicó con el lápiz un punto del plano ahora completo—. Es un restaurante pequeño y bonito, que se llama Adrienne's. Sirven buena comida italiana y el ambiente es familiar —afirmó—. Es imposible que no lo encuentre. Sólo tiene que ir por esa calle —añadió la mujer. Se asomó fuera del mostrador y señaló la calle a la que daba la salida—.

Está a unas cinco manzanas de aquí. ¡Puede comer exquisiteces con un presupuesto moderado! —Escribió el nombre del restaurante en el plano que había dibujado y marcó con una pequeña X su localización exacta—. ¿Puedo ayudarlo en algo más? —Le preguntó, al tiempo que le entregaba la hoja de papel.

—Ya está bien —respondió él—. Muchas gracias.

Plegó la hoja y salió afuera. Se encontró con las aceras vacías. El sol estaba a punto de ponerse y los sonidos de la circulación nocturna iban reemplazando a los de la diurna. Desplegó el plano y se puso en marcha, siguiendo la dirección que le había sugerido la mujer.

Zendar se relajó a la media luz del crepúsculo. Las paredes de los edificios, en lo alto, se teñían de color anaranjado y violeta, y el joven se puso a pasear más despacio, cautivado por los colores del ocaso. Siguió la dirección que indicaba el plano, deteniéndose de vez en cuando para mirar por las cristaleras de los grandes almacenes. Una tras otra, iban cobrando vida con las luces de neón. Libre de la opresión del gentío y del tráfico, se sintió atraído por lo que se mostraba en las ventanas y por los sonidos que se oían al anochecer en las calles de la ciudad. Era una agradable noche de verano, y cálidas brisas estivales le agitaban el cabello.

Envuelto en esta languidez, fue dejando atrás los edificios. Sin apenas darse cuenta, Zendar dobló la esquina de la calle por donde se llegaba al restaurante. La mujer del puesto de información le había indicado bien el sitio. Era imposible no verlo. Un brillante neón azul, colgado en la pared de viejo ladrillo rojo, anunciaba: *Adrienne's — El mejor restaurante italiano de la ciudad.*

—Muy bien —pensó—. ¡Qué hambre tengo!

Zendar abrió la chirriante puerta de madera y entró en un local pintoresco y poco iluminado. Estaba repleto de mesas de madera, cubiertas con manteles blancos y lisos. En el centro de cada mesa había una pequeña vela, y sus parpadeos arrojaban una sutil aura por toda la sala. Las paredes estaban hechas de madera mal cortada, desnuda salvo por grandes litografías de los antiguos dueños italianos, una en cada pared. Como música de fondo, se oía débilmente un aria italiana. En conjunto, se respiraba la vieja Italia, salvo por el cartel de madera que colgaba de la puerta, donde se leía: «Por favor, aguarde a que la camarera le indique su asiento».

Mientras aguardaba a la camarera, le llegó el aroma de la sopa casera y del pan de ajo. Zendar se sentía tranquilo. La camarera le indicó una mesa en un rincón, sonrió y le entregó el menú; el joven sintió que todo andaba bien en el mundo.

Zendar se hallaba perdido en sus pensamientos, contemplando el menú, cuando ella entró. Una mujer atractiva de estatura media. Se sentó en un rincón, enfrente de la cristalera, y dejó silenciosamente en la silla de al lado el maletín que llevaba. Vestía un traje de seda azul pálido, y el cabello, de color castaño oscuro, le rozaba el cuello de la blanca blusa.

En el aula, Élan se sintió expulsado de su asiento por el magnetismo del aura de la mujer. Aquella energía era inconfundible.

—Rhea —susurró—. Oh, Dios mío, eres tú...

Élan se puso en pie y sus ojos se llenaron de lágrimas que no tardaron en desbordarse, deslizándose por sus mejillas. Le dolía el corazón. ¿Durante cuánto tiempo había aguardado, mirando por la ventana, con el anhelo de encontrar un solo atisbo de ella? Y ahora la tenía delante. «Qué bella mujer», pensó. Y entonces, se maravilló. Rhea estaba envuelta en una especie de vaciedad. Lo mismo que había sentido después de su simulación.

—Tienes que verla, Zendar —murmuró—. Zendar, tienes que descubrirla, por favor, levanta la mirada.

En aquel mismo momento, Zendar apartó los ojos del menú y miró en derredor. Percibió algo distinto, como un sonido o una sensación que hubiese conocido en otro tiempo. El aire estaba impregnado de una extraña familiaridad. Miró a la izquierda, pero sintió frialdad en el rostro. Se volvió hacia la derecha y una calidez le recorrió todo el cuerpo; sus ojos habían descubierto a la mujer de azul sentada en otro rincón, al otro extremo del local.

A Zendar, la cabeza le daba vueltas. «¿Qué me está ocurriendo?», pensaba. La mujer tenía algo que le atraía, pero, con todo, se trataba de una completa desconocida.

«No puedo ponerme a hablar con ella así como así», murmuró entre dientes.

—Oh, sí, claro que puedes —susurró Élan.

A eso se había referido el anciano. Zendar tenía que contactar con su amiga.

—Esto no es un accidente, Zendar. —Élan sentía que las rodillas le flaqueaban, la garganta seca. Se veía constreñido a aceptar el desarrollo de los acontecimientos—. Esta situación tiene que formar parte del plan, Zendar. Venga, levántate.

«Qué locura —se dijo Zendar—. No puedo ir hasta allí y empezar una conversación.»

—Si yo puedo, tú también puedes. —Élan se mostraba inflexible—. No volverás a tener una oportunidad como ésta. Levántate de la silla y ve con ella.

Zendar se puso en pie y se acercó a Rhea como en trance.

«¿Y qué le voy a decir?», pensaba.

—Dile hola —le indicaba Élan—. «Hola, me llamo Zendar».

Zendar llegó a la mesa de Rhea.

—Hola —dijo—. Me llamo Zendar. —La joven levantó la mirada, sobresaltada e incrédula—. Y no sé por qué estoy haciendo esto —añadió ansiosamente.

—Yo tampoco lo sé. —le contestó Rhea en tono sarcástico.

—Nunca había hecho nada así —insistió Zendar.

Tenía las palmas de las manos húmedas y pegajosas. Le temblaba la voz. Se maravilló de lo que había hecho. Obviamente, la joven estaba molesta.

—Entonces, ¿por qué lo haces? —le dijo cáusticamente. «Qué ojos», pensó. Parecía que la estuvieran atravesando.

Pero no se trataba de sus ojos azules ni de sus facciones bellamente cinceladas. Aquel sentimiento de afinidad no era nada físico. Provenía de alguna otra parte. ¿Qué le estaba ocurriendo? Rhea nunca hablaba con hombres a los que no conociera. Se sintió los pálpitos del corazón. ¿Qué querría aquel sujeto? «Oh, Santo Dios —pensaba—. Este hombre me resulta muy familiar.» Un escalofrío le recorrió todo el cuerpo; parecía que fuera a ocurrirle algo importante.

—Rhea. —El amor de Élan disolvía la distancia entre ambos—. No le alejes de ti. Esto está preordenado. Debes responder a la llamada del destino.

—Lo siento —dijo ella, tratando de mantener la compostura—. He olvidado tu nombre. —¿Por qué razón se sentía atraída por él?

—Zen-dar. —El joven tartamudeaba, turbado por la actitud de la mujer—. Me... me llamo Zendar. —La miraba con ojos suplicantes, tiernos—. ¿Puedo sentarme contigo?

—No lo sé —le contestó la vacilante Rhea. Aquello era ridículo—. ¿Qué quieres?

—Sólo querría hablar contigo un minuto.

Rhea sentía cierta prevención, pero, al fin y al cabo, ¿qué mal podía haber en ello? Después de todo, se hallaban en un lugar público. «Pero esto es una locura —pensó—. Un atentado contra todo lo que yo doy por sabido.»

Estuvo a punto de hacer un críptico comentario, pero se vio incapaz. Había algo en aquel hombre que la desarmaba. Era un caballero en el sentido más auténtico de la palabra. Lo notaba. Sin saber por qué, confiaba en él. Sonrió ligeramente para darle su asentimiento.

—No sé por dónde empezar. —Zendar juntó las manos sobre la mesa.

—Pues ve al grano, Zendar —dijo Élan—. Háblale de tu misión, y de la montaña, y de la meta.

—Creo que tendré que ir al grano —dijo Zendar—. Soy nuevo en esta ciudad, y necesito llegar al monte Akros.

—¿El monte Akros?

¡Era eso! Habría tenido que suponerlo. Desde luego, aquel hombre era distinto de los demás que había ido conociendo a lo largo de su vida. Perseguía una meta. Y había logrado captar su interés.

—He oído decir que allí hay una cueva —dijo Zendar—. Y tengo que encontrarla.

—Algunos dicen que sólo se trata de un rumor —respondió Rhea para probarle.

—Otros dicen que ese rumor es una cortina de humo para mantener alejados a los falsos buscadores.

—Entonces, ¿conoces esa meta? —La mujer quedó cabizbaja y se arrellanó en su silla. No le extrañaba que Zendar fuese distinto. De pronto, se sintió triste.

—¿Qué te ocurre? —El joven no comprendía su repentino cambio de humor.

—Toda mi vida acaba de pasar delante de mí. —Rhea contemplaba las luces de la calle por la cristalera.

—¿Cómo es eso?

—En otro tiempo, yo misma busqué esa cueva. —Parecía resignada—. Pero ya no. —Se encogió de hombros—. Al cabo de cierto tiempo, la vida de la ciudad acaba adueñándose de cualquiera.

—¿Qué quieres decir?

—Quiero decir que he abandonado esa búsqueda.

—¿Que has abandonado la búsqueda? —Zendar se sintió frustrado—. ¿Cómo es posible que alguien abandone la búsqueda de la cueva?

—Supongo que algunos lo hacemos. Yo la abandoné.

—No lo comprendo. —El joven estaba visiblemente alterado—. ¿Qué ocurrió?

—Es una larga historia, Zendar.

—Bueno, pues querría que me la contaras.

—¿Por qué?

—Porque estoy interesado.

—¿En qué?

—En ti y en la búsqueda. No entiendo cómo alguien puede abandonarla.

—No importa.

—Claro que importa. —Zendar no se rendía.

Rhea contempló su rostro. ¿Quién era aquel hombre? Lo acababa de conocer. ¿Por qué la importunaba de aquel modo? ¿Por qué se sentía impelida a responderle?

—Bueno, si esto es importante para ti... —acabó por decir.

—Lo es.

—¿Por dónde empiezo? —Los ojos de Rhea examinaron el mantel como para encontrar allí una respuesta—. Yo daba clases, Zendar. Era maestra de séptimo grado. —Calló por unos momentos, pensando en días pasados—. Esto era mi amor, mi gran alegría en la vida. Mis niños lo eran todo para mí. Trabajaba duro para ayudarles, y ellos, a su vez, me correspondían. —Rhea retorcía su servilleta y miraba inexpresivamente por la cristalera hacia la calle a oscuras. Su aspecto era sombrío—. Entonces conocí a un hombre, un hombre maravilloso que compartía mis sueños. Se llamaba Marc. Nos enamoramos y quisimos casarnos.

—Parece maravilloso. ¿Qué ocurrió?

—Por aquel entonces, yo vivía en St. Claire, a unos doscientos setenta kilómetros de Madison. Él vivía aquí, en la ciudad. Durante cierto tiempo, compartimos un romance de fin de semana. O él venía a St. Claire o yo iba en coche hasta Madison. Pero Marc planteó el tema y tuvimos que considerar nuestra situación. Él no podía permitirse dejar el trabajo, así que fui yo quien lo abandonó, y me mudé a la ciudad. Tenía la esperanza de encontrar otro puesto como profesora una vez nos hubiésemos casado e instalado. —Rhea parpadeó; estaba tratando de reprimir sus emociones—. Marc murió en un accidente de coche sólo unos meses antes de la boda.

—Lo lamento —susurró Zendar. Sintió el dolor de Rhea.

—Fue un accidente estúpido —siguió diciendo ella—. Un camión giró fuera de control por la carretera y volcó sobre su coche. La muerte fue instantánea. —Rhea miraba fijamente sus propias manos, cruzadas con fuerza sobre la mesa—. Tal como debes de imaginar, esa súbita muerte me dejó en un estado de postración.

Escuchándola, los ojos de Zendar se le llenaron de lágrimas.

—Al principio, no quise aceptarlo —siguió diciendo—. Estaba destrozada. Me veía cruelmente despojada de mis sueños y mis planes. No sabía qué hacer ni hacia quién volverme. La vida parecía haber perdido todo su sentido. Nada importaba ya.

»Fue pasando el tiempo. Finalmente, cuando me quedé sin dinero, tuve que aceptar la realidad: estaba sola y no tenía nada para llenar aquel monstruoso hueco. Tenía dos problemas acuciantes: la necesidad de dinero y la de salir de la desesperación causada por aquella pérdida. No lo conseguí enseguida. Ganar dinero fue lo más fácil. No podía recobrar mi antiguo puesto, porque ya lo había ocupado otra persona. Y el curso estaba demasiado avanzado como para encontrar un trabajo de profesora en la ciudad, pero mi título de magisterio y mis conocimientos en finanzas me valieron una ocupación en una agencia de inversiones. El sueldo era extraordinariamente bueno, duplicaba como mínimo mi salario anterior y, durante cierto tiempo, me ayudó a llenar el vacío.

Zendar la escuchaba atentamente. La luz de las farolas, al colarse por la cristalera, arrojaba un suave fulgor sobre el rostro de Rhea. Ésta tenía los ojos húmedos de lágrimas furtivas. ¿Por qué sentía Zendar tan vivamente su dolor? Cuando la mujer volvió a hablar, el joven ya no pudo apartar los ojos de ella.

—Después, ocurrieron muchas otras cosas. —Suspiró profundamente—. Pero ninguna verdaderamente importante. Marc ya no estaba y yo tenía que reconstruir mi vida lo mejor que pudiera. —Rhea se interrumpió al recordar dónde se hallaba—. Perdóname —dijo—. He perdido el freno. Ni siquiera te conozco.

Zendar le respondió con voz tranquilizadora.

—Necesitaba oír tu historia, Rhea. Pero todavía estoy confuso. Aún no entiendo por qué renunciaste a la búsqueda.

Entonces, la camarera se acercó y dejó dos vasos de agua sobre la mesa.

—Siento haber tardado tanto —les dijo, sin darse cuenta de que molestaba—. ¿Qué desean?

Rhea se volvió hacia ella, algo enojada por la inoportuna interrupción.

—Para mí, sólo una limonada. ¿Y tú qué quieres, Zendar? —Rhea ya no tenía hambre.

—Lo mismo —dijo.

—¿Algo más? —La camarera apuntó el pedido en una hojita.

—Tal vez luego —dijo Zendar, y señaló a Rhea—. Somos viejos amigos. Tenemos que charlar.

—De acuerdo, ahora traigo las bebidas.

Normalmente, la camarera se habría sentido molesta al encontrarse con alguien que venía a charlar a la hora de la cena. Pero aquélla era una noche ajetreada y tenía que atender todas las mesas ella sola.

—¿Qué estábamos diciendo? —Rhea bebió un sorbo de agua.

—Acababas de decirme que no me conocías, y la vida te ha interrumpido. —Zendar sonrió—. La vida es así, ¿sabes?

—¿Cómo es eso?

—Bueno, nosotros dos somos espíritus afines. Se supone que tienes algo en común conmigo. —Zendar la miró a los ojos—. Confía en mí —le dijo con seriedad—. Tenemos algo que compartir.

La camarera se inclinó al lado de Rhea y dejó dos bebidas sobre la mesa.

—¿Desean algo más?

—Ahora no, gracias —dijo Zendar—. Sigue —añadió, volviéndose hacia Rhea. Su franqueza resultaba convincente.

—Bueno, no me queda mucho por contar. —Rhea se encogió de hombros—. Aprendí en seguida las triquiñuelas del oficio y empecé a subir peldaños. Aquello empezó a llenar mi vacío. De repente, tenía a otras personas a mi alrededor. Acudían a mí y me necesitaban. —La mujer parecía pensativa—. Por supuesto, no lograron sustituir a Marc. Pero el tiempo ayuda y, finalmente, inicié un largo y arduo proceso de curación. Ahora, suelo trabajar entre doce y catorce horas cada día. Así lleno el vacío, y eso no es lo único. Me he comprado una bonita casa. Los beneficios de la profesión son buenos, y las primas y dietas excelentes, y puedo permitirme viajes de placer exóticos. Controlo mi propia vida, Zendar. Si no puedo tener a Marc, ¿qué me queda? Por lo menos, ahora no corro riesgos.

Rhea iba pasando un dedo lentamente por el borde del vaso

que tenía en la mano derecha y contemplaba inconscientemente las gotas de agua que se le iban quedando en él.

—En otro tiempo, creí en la búsqueda —dijo con voz apagada—. Pero ahora no tengo el entusiasmo por la vida ni los ánimos de otro tiempo, y ya no soy ingenua. Me siento fatigada, Zendar. A lo largo de este último año y medio, he envejecido varias décadas. Una parte de mí murió con Marc.

Zendar estaba callado. Finalmente, lo comprendía. Rhea había caído en una adicción. Había sustituido la necesidad que sentía por Marc con la necesidad de trabajar. Ahora, afanándose cada día durante largas horas, se había extraviado por completo de su camino. El trabajo y el prestigio la habían consumido.

—Así, ¿la caverna se convirtió en un sueño lejano? —preguntó.

—Bueno, no había pensado en ella desde la muerte de Marc... hasta que hemos tenido esta conversación. —La mujer sacudió la cabeza para expulsar antiguas imágenes y sueños de otro tiempo—. Hace mucho, solía hablar de propósitos vitales a mis alumnos. Pero parece que, ahora, yo he perdido el mío. —Su voz perdió fuerza—. A veces, esto me asusta.

—Pero puedes cambiarlo todo, Rhea. —Zendar tendió la mano al otro extremo de la mesa. La sujetó por la muñeca—. Voy a ir a la cueva. Y tú podrías acompañarme.

Rhea retiró el brazo.

—Ya no. No tengo interés ni fuerzas para hacer esa escalada, Zendar.

El joven se sintió defraudado.

—Entonces, indícame cómo llegar hasta allí, porque debo ir.

Había algo en el tono de su voz. Sus ojos le resultaban familiares a Rhea, y parecía tan sincero que la mujer quiso ayudarlo.

—Te llevaré hasta el pie del Akros —dijo—. Así tendré la

sensación de estar participando modestamente en ello. —Rhea se animó.

—Entonces, mañana será el día apropiado.

—No sé si podré tomarme el día libre. Tengo mucho quehacer. —Pensó en ello durante un minuto y añadió—: Bueno, está bien, ya lo lograré de algún modo. —Ahora estaba más alegre. La idea de romper con la rutina le había dado brío—. Voy a avisar a mi secretaria de que mañana no iré. —Sonrió—. De hecho, me encanta conducir por el campo. ¡Podemos convertir la excursión en una aventura! No soy escaladora, pero creo que sé todo lo básico al respecto. Estaría encantada de ayudarte en el equipo.

Cuando la camarera volvió a acercarse, pidieron la cena, y luego permanecieron en silencio. Rhea había tenido miedo de sentirse incómoda después de lo dicho, pero no fue así. Aun el silencio resultaba agradable. No le costaba nada estar con Zendar. Ambos comieron en silencio, pensando cada uno por su cuenta en lo que iba a ocurrir. Las energías de ambos se mezclaban bien.

«Viejos amigos», pensó Élan, al verlos a ambos enfrascados en sus pensamientos. Los quería mucho a los dos. Casi le parecía que podría alargar el brazo y tocarlos en la transmisión. Por un momento, todo se pareció a los viejos tiempos; los tres volvían a estar juntos.

Vio como Zendar pagaba la cuenta y acompañaba a Rhea hasta el coche de ésta, aparcado detrás del restaurante. El joven le explicó dónde se alojaba y ambos acordaron encontrarse allí a las ocho de la mañana siguiente. Tenían la intención de desayunar juntos y, para cuando terminaran, la tienda de reventa de material del Ejército ya habría abierto. Zendar la ayudó a entrar en el coche y se acercó a la ventanilla al darse ambos las buenas noches. Rhea le contempló mientras se alejaba.

«¿Quién eres, Zendar —se preguntaba—, y por qué me

siento tan cómoda contigo, con alguien a quien no conozco de nada?»

Zendar volvió a pasar por el restaurante y salió por la puerta principal, desde donde podría seguir su plano, ahora ya arrugado y roto. La noche era agradablemente fresca. Los sonidos del tráfico rodado habían desaparecido y Zendar se abandonó momentáneamente a las sensaciones de su propio movimiento. Había algo fascinante en el camino por donde le estaban llevando sus brazos y piernas. Las manzanas de casas iban quedando atrás rápidamente y no tardó en encontrarse con un antiguo edificio de piedra sobre cuya entrada colgaba un toldo blanco.

—Éste debe de ser el hotel —dijo, y entró en el vestíbulo.

El recepcionista registró la entrada de Zendar, cogió su tarjeta de crédito y le señaló el ascensor.

Al cerrarse a sus espaldas las puertas del ascensor, Zendar pulsó el botón de la séptima planta y se recostó en la pared. La solemne caja de acero y madera crujió e inició el ascenso.

Abrumado todavía por la mezcla de emociones y agotado por el encuentro con Rhea, Zendar se dirigió a su habitación. Aquella noche se quedó profundamente dormido. En sus sueños, la montaña se erguía ante él y el corazón se le aceleraba al acercarse al sendero. Al despedirse de Rhea en el sueño, se daba cuenta de que las mejillas de la mujer estaban surcadas de lágrimas. Entonces, el viento que soplaba en la ladera de la montaña susurraba una canción. Esta canción llamaba al alma de Zendar, quien se volvía para enfrentarse en solitario al angosto sendero.

15

La promesa

Zendar se levantó antes de que despuntara la aurora y aguardó a Rhea en la puerta. Ésta apareció en un pequeño coche deportivo blanco en el mismo instante en que el joven abandonaba el hotel. Había bajado la capota y, al sentarse a su lado en el asiento de cuero gris, Zendar tuvo que notar por fuerza cuán bella era. Vestía tejanos azules y una blusa ligera de color amarillo que hacía resaltar sus ojos oscuros, y que se agitó al viento cuando Rhea puso la primera y tomó el camino de la autopista.

El desayuno fue agradable. La mujer le ayudó a seleccionarlo en un pequeño bar de camioneros: huevos revueltos, patatas, tostadas y café. Apenas hablaron; no era necesario. Les bastaba con estar juntos.

La tienda de reventa se hallaba en la parte antigua de la ciudad. Con Rhea, todo fue divertido y fácil. Al entrar con él por la puerta, como perfecta acompañante, agarró un carrito de compra y empezó a recorrer los pasillos, hablando continuamente del acontecimiento que se avecinaba. Zendar la seguía e intervenía de vez en cuando en la conversación para impedir que terminara. Rhea hacía de promotora y de guía, y asumía todas las responsabilidades por la expedición. Zendar gozaba mirándola, plenamente viva y animada. Ésta era la energía que había sentido en sus ojos, la vitalidad juvenil que ella creía haber perdido.

Cuando terminaron, la cesta estaba llena. Rhea sólo había cogido equipamiento básico: una mochila, un cuchillo de montaña, una cuerda, garfios, guantes, botas de escalada, linterna y baterías, una chaqueta gruesa para la noche y dos cantimploras que llenó en una fuente detrás de la tienda. Al salir de la ciudad, se detuvieron también en un colmado para comprar algunos productos de primera necesidad y echaron la capota antes de salir del aparcamiento.

Hacia las diez y media, salieron a la interestatal y se alejaron de la ciudad en dirección este. Durante el viaje, Rhea se mostró especialmente animada; toda su conversación estaba impregnada de esperanzas en aquella búsqueda. Zendar se preguntó si estaría hablando de ello para descargarse de la ansiedad que le producía su propia decisión.

—¿Por qué no vienes conmigo, Rhea? —preguntó bruscamente, interrumpiéndola a la mitad de una de sus largas frases—. Sabes que quieres venir.

—Lo siento, Zendar. —Parecía abatida—. No paro de charlar y charlar, ¿verdad? —Sin apartar los ojos de él, hizo girar el volante y adelantó a un camión que los había estado frenando—. Qué tontería. Llevaba años sin pensar en esa búsqueda. Sólo he recobrado mi antiguo vigor al estar contigo. Como si estuviera teniendo una experiencia a través de ti. Al ir tú a la montaña, yo también siento deseos de ir. Tal vez esté tratando de borrar mis propios sentimientos de culpa.

—¿De qué te sientes culpable? —Zendar no lo comprendía.

—De no ir.

—Entonces, ven.

—Sabes que no puedo.

Zendar decidió no presionarla. Lamentaba que Rhea no aprovechase aquella oportunidad. Le había sido puesta en las manos. Pero en aquel momento, Rhea parecía incapaz de apreciarla.

En el aula, Élan empezó a llevarle la contraria.

«Oh, Zendar —pensaba—, si Rhea comprendiera qué don se le ofrece...» Rhea estaba cantando el canto de las sirenas; la atracción del mundo la dominaba demasiado.

Zendar había anhelado que la mujer lo acompañara en aquel viaje. Suspiró y se volvió, y prefirió fijarse en lo que se veía por la ventanilla. «Tenía razón la pasada noche, cuando dijo que estaba atrapada.» Se volvió para verla de perfil. Se sentía apenado. Aquella mujer era hermosa, pero estaba aprisionada por el poder de la ciudad.

Rhea se había perdido en su propio mundo y no tuvo noticia de la rendición de Zendar.

—Sí que quiero encontrar esa cueva... —dijo, y se volvió momentáneamente hacia él—. Tal vez lo haga algún día, más adelante... —A medida que hablaba, su voz perdió fuerzas.

—Te escucho, Rhea —dijo él amablemente; en esta ocasión, la estaba escuchando de verdad—. Comprendo lo que tratas de decirme.

—¿De verdad? —dijo ella, aliviada.

—Tal vez te halles en un tiempo de preparación, en un tiempo en que debes adquirir fuerzas, para que, cuando te llegue el momento de iniciar la ascensión, estés lista.

—¡Eso es! —Rhea se alegró de haberse soltado del anzuelo—. Oh, gracias por haberme comprendido. No quería sentirme culpable por no poder ir.

—Claro que no. No tienes ningún motivo para sentirte culpable. Estoy seguro de que sabes perfectamente lo que estás haciendo. —Al proseguir, su voz bajó en una octava—. Pero ten cuidado, Rhea, no debes aguardar durante mucho tiempo, porque podrías quedar atrapada para siempre.

—Lo sé. —La mujer estaba deseosa de cambiar de tema.

Zendar se preguntó si ya sería demasiado tarde. Rhea estaba como hipnotizada, sus argumentos no admitían discusión. Ambos se sumieron en el silencio y el joven se distrajo mirando por la ventana. Ya se hallaban en las estribaciones de alguna montaña: colinas verdes, onduladas, moteadas de ocasionales árboles.

—Abre la guantera, Zendar. —Rhea interrumpió sus pensamientos y señaló el compartimento delante de la rodilla del joven—. Creo que, en mi último viaje por el campo, dejé un mapa ahí.

Zendar buscó entre un montón de papeles y sacó el mapa.

—¿Es éste?

—Eso parece. Ábrelo y trata de encontrar la salida que da al monte Akros —dijo—. Me parece que ya llevamos un buen rato de camino; no deberíamos tardar en avistarlo.

—Aquí está —dijo Zendar, y señaló un punto del mapa—. Salida número setenta y dos.

—¡Bien!, acabamos de dejar atrás la número setenta. Encontraremos ésa en cualquier momento.

A primeras horas de la tarde, la carretera se desvió bruscamente en ángulo recto para rodear las estribaciones. Ante ellos, y a su derecha, había una llanura lisa y amplia y, más allá, una gigantesca montaña. Su enorme masa inspiraba temor reverencial; amplia por la base, se erguía en sus alturas en lisos escarpados de roca, sobre los que la helada cima relucía como cristal bajo el sol de la tarde. Zendar ahogó un grito. Sintió la llamada de su meta de toda la vida, que se le agitaba en el centro del pecho. Sentía el tirón de la montaña como si se hubiera tratado de una gran fuerza magnética. Estaba aprisionado por su hechizo, cautivado por su encanto, atraído por su poder.

—Me está llamando, Rhea —susurró. Adelantó el rostro para poder contemplar el monte Akros por el parabrisas—. Siento que me atrae hacia sí.

La salida setenta y dos daba paso a un camino de tierra por el que se llegaba directamente a la base de la montaña. A la vez que aminoraba la velocidad del coche, Rhea se volvió para mirar a Zendar a la cara. El joven estaba observando la montaña de cerca. Su cabello castaño leonado se teñía de vetas de oro a la luz del sol, y sus facciones aquilinas, unidas a la pureza de sus intenciones, conmovieron a la mujer. Por un momento, Rhea sintió envidia. Así como la montaña llamaba al joven, parecía rechazarla a ella. Los mismos riscos descomunales que invitaban a Zendar se aparecían a la mujer como una poderosa fuerza que debía venerar, mas evitar. En su corazón, casi habría deseado que la montaña la llamara, porque sabía que, mientras no lo hiciera, tampoco estaría preparada para iniciar la ascensión.

—Oh, Rhea. —Las palabras de Zendar interrumpieron el callado ensueño de la mujer—. Ahora estoy unido a la montaña, igual que el niño está unido a su madre antes de nacer. Siento como si albergara un pacto, una promesa, una esperanza de algo nuevo.

El coche avanzó lentamente sobre la grava hacia el pie de la montaña. La carretera giraba bruscamente hacia la derecha y terminaba unos siete metros más allá. Una alambrada con una puerta les cerraba el camino. Rhea aparcó el coche a un metro de los barrotes de acero, de donde colgaba un cartel que prohibía el paso.

Zendar la vio.

—¡Es aquí!

Sintió palpitaciones en el pecho al abrir la portezuela y bajar del coche.

Rhea vio como se adelantaba y se apoyaba con ambas manos en la puerta. Al volverse hacia la alambrada, Zendar contempló en toda su extensión la montaña que lo aguardaba, y la mujer se fijó en que tenía la espalda robusta, perfectamente constituida. «Se quedará aquí», pensó. El alma del joven estaba atada a aquel sendero de propósito vital que parecía hallarse casi a su alcance. Contemplándolo desde cierta distancia, admiró su concentrada resolución. Su corazón había quedado prendido en la meta que ahora la mujer evitaba. Rhea abrió la portezuela, pasó delante del coche, y se reunió con Zendar frente a la puerta.

—Tendríamos que meter tus cosas en la mochila —dijo, y se apoyó al lado de Zendar en la cerca.

—Lo olvidaba. —Zendar estaba desgarrado por dentro. Sentía la atracción de la montaña, pero también la de Rhea.

Volvieron al coche y sacaron las mochilas del asiento trasero. Rhea se arrodilló en el suelo y desenvolvió lo que había comprado; fue sacando una tras otra las etiquetas del precio. Al trabajar, los negros cabellos se le desparramaban en torno al rostro. Zendar no podía apartar los ojos de ella. Tenía alguna misteriosa cualidad, una insólita mezcla de fuerza y ternura. Se lamentó de que la ciudad la atrajera, se lamentó de que la cautivara el mundo.

Entretanto, en el aula, el Anciano Em comprendió que Zendar y Rhea no tardarían en separarse. Se sentía defraudado. Rhea lo había llamado y ahora le rechazaba. ¿Por qué no reconocía la misma ayuda que había pedido? Su oportunidad no tardaría en pasar. Tenía que hacer un último intento por llegar a ella.

—Inténtalo de nuevo, Zendar —murmuró entre dientes, reconcentradamente, mientras observaba la transmisión—. Inténtalo una vez más, amigo mío.

De repente, Zendar se sintió abrumado de emoción.

—Ven conmigo —farfulló, y se hincó de rodillas al lado de la mujer.

Rhea se asustó ante el arrebato. Antes de responder, le miró largamente a los ojos azules.

—Éste no es mi viaje, Zendar —dijo por fin—. El viaje y la meta son los tuyos.

—Ambos podemos hacerlo, Rhea. Tú siempre habías querido encontrar la cueva, y ahora estamos aquí, los dos, al pie de la montaña. Si tú quisieras, podríamos encontrarla juntos. Sé que podríamos.

Zendar bajaba la cabeza sobre la mochila, bajaba la cabeza de rodillas ante Rhea. Parecía tan muchachil, que le conmovió el corazón.

—Oh, Zendar. —Se sentía desgarrada, pero la fascinación de la urbe era superior—. He trabajado muy duro para llegar adonde estoy. No tengo voluntad para marcharme —dijo por fin—. Ni parece que pueda forjármela.

Zendar miró a sus ojos castaños, se incorporó y le tomó la mano.

—Querría que cambiases de idea y vinieras conmigo —insistió con voz suave, y la ayudó a levantarse.

Rhea se sacudió el polvo de los tejanos.

—Voy a saltar la cerca contigo —le dijo—. Y te acompañaré hasta el final del camino de tierra, donde empieza el sendero. —Recogió la mochila—. Pero cuando lleguemos al principio del sendero, yo retrocederé y tú seguirás solo. —Mientras le decía esto, le dio la mochila.

Rhea cerró el coche y ambos anduvieron hasta la puerta. Con la ayuda de Zendar, la mujer logró saltar al otro lado. El joven le arrojó la mochila por encima de la cerca y trepó tras ella.

—Podemos hacerlo juntos, Rhea.

—No estoy segura. —Le miraba, y le hablaba con desapego y voz distante—. Creo que todas las almas tienen que transitar solas por ese sendero. —Contempló la montaña—. Tal vez algún día me llegue el momento, pero no ahora.

Al mirar a Rhea a los ojos, Zendar no pudo evitar sentirse atraído por ella. Su belleza le desarmaba, aun después de haberla perdido. La había tenido agarrada de los hombros, pero la soltó con gentileza. Tenía que dejarla marchar. Se volvió, y ambos caminaron juntos de nuevo.

El profundo silencio de la montaña les envolvía como una sábana en su callado avance por el caminito polvoriento; ambos estaban perdidos en sus pensamientos íntimos. De vez en cuando, las aves piaban entre los arbustos, en los márgenes del camino, pero, en todo momento, reinaba sólo el amplio y profundo silencio del campo. El sol les seguía en ángulo y arrojaba tras ellos alargados espectros de sombras, tendidos en el polvo a sus pies.

El camino se desviaba de pronto hacia la izquierda y terminaba abruptamente en unos arbustos. Desde aquel sitio, sólo un angosto sendero permitía el paso entre las zarzas. Rhea se volvió hacia Zendar; en sus ojos, desmesuradamente abiertos, había plena conciencia de lo que tenían delante. En aquel punto se hallaba la inflexión. Desde allí, el alma tenía que seguir adelante o volverse, según la llamada que siguiera.

Zendar miró a Rhea, cuyos ojos se habían llenado súbitamente de lágrimas.

—De verdad que querría poder ir contigo.

Al mirarle con sus ojos tristes, parecía inesperadamente pequeña y vulnerable.

—Yo también querría que vinieses, Rhea. —Pero sabía que la mujer ya había tomado una decisión.

—Oh, Zendar. —Hablaba con voz trémula—. A veces tengo tanto miedo...

—¿Miedo de qué? —Zendar le tendió la mano.

—Miedo de no lograrlo, miedo de verme atrapada de verdad y de no lograr jamás la libertad.

—Pero Rhea, ya has dicho que éste no es tu momento. —Ahora, Zendar la estrujaba contra su pecho.

—Lo sé —dijo ella—, pero ahora que tú te vas, no estoy segura de mí misma. —Oprimió la cabeza contra su hombro.

—Lo comprendo. —Zendar le acarició suavemente el cabello.

Rhea dio un paso atrás y le miró a los ojos.

—¿Volverás a buscarme, Zendar?

El joven quedó estupefacto.

—¿Volver a buscarte?

—¡Por favor!

—No puedo hacerlo, Rhea.

—Sí, sí puedes —insistió ella—. Después de hallar la cueva, vuelve a buscarme.

—Rhea, no me pidas eso, por favor.

—Pero es que tengo miedo, Zendar, no voy a ser capaz de hacerlo sola. —Observó las alturas de la montaña—. No soy lo bastante fuerte. Te necesito.

Un relámpago de dolor atravesó el pecho de Zendar.

—No me pidas eso, Rhea, por favor. No sé qué va a ser de mí cuando encuentre la cueva.

—Prométemelo —le rogó ella—. Por favor, prométeme que regresarás y que me ayudarás.

—Pero ¿por qué?

—Necesito de tus fuerzas para llegar hasta la meta.

—¿Qué quieres decir?

—Que si tú encuentras la cueva, tal vez puedas ayudarme a mí también a encontrarla.

—No puedo comprometerme a eso, Rhea. No sé lo que me va a ocurrir en la montaña.

—Por favor —le rogó ella—. Si me lo prometes, quedaré tranquila sabiendo que algún día yo también alcanzaré la meta. —Le agarró de la mano—. Por favor, Zendar, prométeme que regresarás a buscarme.

Abrumado por el ímpetu de las emociones de la mujer y anegado de ternura, Zendar la contempló con el corazón desgarrado.

—Pero Rhea...

—Te lo suplico, Zendar.

Aquella repentina vulnerabilidad lo había desarmado.

—Te lo prometo, Rhea —dijo, con callada aceptación—. Prometo que volveré y te encontraré.

—Oh, gracias. —Rhea sonrió aliviada y le soltó la mano. Presentía ya, y con entusiasmo, el retorno del joven—. ¡Sólo con saber que regresarás, ya no siento mis temores! Me ayuda el saber que puedo contar con alguien.

Zendar le acarició suavemente los cabellos.

—Eres una mujer hermosa, Rhea.

—Ahora tengo coraje, Zendar. —El rostro de la mujer se iluminó—. Sé que vas a lograrlo. Sube ahí arriba y termina tu búsqueda, y recuerda que te estaré esperando.

—Hasta la vista, Rhea —dijo.

—Bendito seas, Zendar. —Rhea sonrió enigmáticamente—. Ah, Zendar —dijo en voz más baja—, acuérdate de ser como un ángel.

—¿Que sea como un ángel? —dijo él, sorprendido.

—Mi madre solía decírmelo. Cada vez que necesitaba ayuda. Cuando tenía que aprobar un examen en la escuela, o hacer frente a un reto, siempre me besaba al salir por la puerta y me decía: «Sé como un ángel, Rhea, y no tengas miedo».

—Gracias —dijo él, y cargó la mochila sobre los hombros—. Sé como un ángel, Rhea, y no tengas miedo —susurró, al tiempo que se volvía hacia el sendero.

—¡Lo mismo te digo, amigo mío! Mi corazón te acompaña.

Cuando Zendar se volvía para saludar por última vez con la mano, una ligera brisa revolvió los cabellos de la mujer. Las zarzas no tardaron en ocultarlo, y así desapareció en la espesura. Rhea escuchó hasta que los últimos crujidos dejaron de oírse entre los sonidos del bosque y entonces volvió al camino, en dirección hacia su coche.

Se preguntó qué aspecto tendría Zendar la próxima vez que se encontraran. ¿Sería distinto de algún modo? ¿Aparecería más radiante? ¿Lo alumbraría la llama del despertar? ¿Podría reconocerlo por su manera de andar, su risa o la luz de sus ojos? ¿O tal vez se habría transformado por completo?

Al llegar a su coche, Rhea se detuvo momentáneamente y se volvió en silencio. Sosteniendo en su corazón el amor que sentía por Zendar, lo ofreció a la montaña y le rogó que confiara el antiguo secreto a su amigo y le permitiera regresar con ella.

16

Una noche en la montaña

Zendar avanzaba con paso resuelto por el sendero. Al principio, la separación le había pesado en el ánimo, pero enseguida, el camino y la frondosa maleza se llevaron toda su atención. Al cabo, sólo pensó ya en la misión que le aguardaba.

Tras unos veinte minutos, la espesura se abrió por fin en un claro. Enfrente se divisaba la falda de una montaña. Desde la lejanía, había columbrado bosquecillos esparcidos por su tercio inferior, pero ahora, al tenerla cerca, los árboles le parecían una inmensa selva. Al entrar en ella, la luz del sol pareció apagarse y sólo le acompañó en dispersos retazos durante su andadura.

Zendar se perdió en el mundo de los sentidos, pues el bosque le cercó cual danzante caleidoscopio de colores y abigarrados matices. Manchas de luz y de sombra, frías y cálidas, le producían temblores por todo el cuerpo.

Se sorprendió de la variedad de colores y de sensaciones que le recorrían la piel y enviaban señales a su mente. Se maravilló de la sensibilidad de su propio cuerpo a los más ligeros matices y quedó hipnotizado por la transformación que tenía lugar en sus percepciones visuales al transitar de las sombras a la luz. Pasó algún tiempo absorto en comprobar las diferencias. Sin dejar de caminar, cerraba los ojos durante unos momentos y se concentraba en las diferencias entre luz y oscuridad, entre calor y frescura, que se le colaban por entre los párpados. No tardó en descubrir que, al cerrar los ojos, se le intensificaban el oído y las sensaciones que le llegaban por la piel.

Trató de andar con los ojos medio cerrados y sintió como la tierra se hundía bajo sus pies; se concentró en su propio interior. Al jugar con las percepciones, fue detectando matices cada vez más finos en sus sentidos. No tardó en alcanzar el reino de la intuición, donde los sentimientos se mezclan con el conocimiento interior. Descubrió que podía sentir los tocones que le obstruían el paso. Y si mantenía su conciencia muy acallada, alcanzaba a sentir las ramas que atravesaban el sendero.

De este modo, avanzó rápidamente por el bosque y finalmente llegó a una zona donde los árboles empezaban a escasear. Sus pies hollaron esquisto y piedra; la cuesta se volvía más empinada. Zendar se sentó sobre un bloque de roca gris para ponerse las botas. Dejó los zapatos sobre un pedrusco para que le indicaran el camino de regreso y se puso en pie para probar sus nuevas botas de escalada. La montaña de desnudo granito se erguía a cuarenta y cinco grados al frente. Zendar contempló el terreno en busca de un pasaje por el que atravesar aquella gigantesca masa de roca.

Encontró un sendero a su derecha e inició un difícil ascenso, en el que fue trepando siempre por el camino que le parecía más fácil. Al cabo de poco, cada una de las partes de su cuerpo tomó parte en el fatigoso intento. Zendar empleaba manos y brazos para subirse a los salientes, y los pies para descubrir rocas sueltas en su camino por la falda rocosa de la montaña.

Cuando los árboles ya se hallaron a cierta distancia, se detuvo a descansar sobre un peñasco. Tras secarse la frente, abrió una de las cantimploras y apuró un largo y parsimonioso trago. Se hallaba a suficiente altura para poder contemplar la ciudad en la lejanía. El sol brillaba al otro extremo del firmamento y arrojaba los fulgores de la última tarde sobre los edificios. Zendar pensó en Rhea. ¿Dónde se hallaría? Ya debía de estar en casa.

—Rhea —susurró entre dientes—, la vida es un viaje sacro. No pierdas de vista su meta. —Rezó por el bienestar de la mujer.

«Son el propósito vital y la meta los que nos mantienen unidos —pensó—. Tengo que hallar la Cueva de la Compasión.» Si Zendar la encontraba, Rhea también podría llegar hasta allí.

Cargó una vez más con la mochila y se volvió hacia el sendero. El angosto camino en la roca que le había permitido subir desde el bosque se desdibujaba ahora hasta hacerse apenas discernible y terminaba en la base de un imponente precipicio de granito. Sólo podría franquearlo escalándolo. Las paredes verticales de roca se alzaban en el aire cual los muros de una ciudadela e impedían que los viajeros penetrasen en el corazón de la montaña. Zendar comprendió que las verdaderas pruebas le aguardaban más arriba, en los elevados picos, y contempló el gran dique de piedra tratando de calcular el sitio por donde lo escalaría.

Avistó un reborde a unos diez metros de altura y, valiéndose de la cuerda y el garfio, subió palmo a palmo hasta acercarse a cuatro metros del primer saliente. No había arrojado el garfio con buena puntería, pero al fin pudo clavarlo firmemente en la roca para que sostuviera su peso. Escaló con ambas manos hasta llegar encima del reborde.

Se tumbó durante cierto tiempo en esta primera cornisa y sintió la calidez del esquisto y la roca bajo la mejilla; pero al cabo, el deseo de llegar a la meta pudo más que su fatiga. En cuanto se hubo saciado de agua, se puso en pie y localizó otro afloramiento tres metros más arriba.

Zendar fue trepando con gran esfuerzo por los precipicios, de saliente en saliente, y a medida que subía, sus esperanzas, aunque grandes, flaqueaban. Durante las primeras etapas de la escalada había sentido un gran entusiasmo en el corazón. Luego había ido perdiendo el ritmo hasta terminar arrastrándose; los pensamientos se le estrellaban contra las paredes de su mente y el fuego de la esperanza comenzaba a extinguirse. Pensó que los muros rocosos debían de proteger con gran firmeza su secreto, o bien que la historia de la montaña era pura leyenda, porque en ningún sitio veía aberturas ni resquicios en la maciza pared.

Cuando los primeros rayos del crepúsculo tiñeron el cielo occidental, Zendar enrolló una vez más la cuerda con la mano derecha y se dispuso a arrojarla de nuevo. Aunque sintiera en los brazos toda la tensión de la tarde, había mejorado su puntería, y se puso a escalar con ambas manos hacia el siguiente reborde. De pronto, a unos diez centímetros del saliente, Zendar notó que el garfio se soltaba y que la cuerda caía. Alzó la mano y se agarró a la roca, tirando de sí con todas las fuerzas que le quedaban en los brazos hasta izarse sobre el reborde. Rodó sobre éste, y entonces, el garfio y la cuerda acabaron de soltarse y cayeron por el barranco.

Zendar sintió una súbita oleada de energía en el pecho, y un grito rasgó el aire. Se volvió para ver quién había sido, pero no vio a nadie.

En el aula, Élan se agarraba con fuerza a los bordes de su pupitre, con los ojos clavados en la transmisión. Ninguno de los alumnos se movía. Su amigo había quedado atrapado a trescientos metros de altura y no tenía medios para subir ni bajar.

Zendar estudió su apurada situación y vio que el saliente tenía algo más de un metro de anchura. Se arrastró hasta su fondo y se recostó en la pared para meditar lo que podía hacer.

—¡No puede hacer nada! —exclamó impetuosamente Justin—. Tal vez debería llamar a Rhea. Ella podría rescatarlo.

Sobre el reborde, recostado contra la pared de la montaña,

Zendar pensó en Rhea y se preguntó si se le ocurriría ir a buscarlo, o si allí arriba le aguardaba la muerte.

—Ten confianza, Zendar —susurraba Élan—. Tú me enseñaste a tener confianza —dijo—. Por favor, aprovéchate ahora de ese saber tuyo.

Zendar contempló como la oscuridad iba devorando la montaña por etapas. Empezó tras la ciudad, con tonos violeta e índigo, consumiendo los confines del cielo occidental. Entonces, se le fue acercando por la bóveda del día y finalmente engulló la luz del atardecer de un horizonte a otro. Cuando sólo las estrellas luminosas salpicaron el cielo color cobalto, Zendar tuvo que enfrentarse a un gigantesco agujero negro; estaba contemplando la noche desde el mismo vientre de la oscuridad.

Reposó en el saliente, envuelto en soledad. Fue recordando todo el viaje. Las bulliciosas calles de la urbe. Los aullidos de bocinas y sirenas. La mujer del puesto de información en Daltons. Los ojos con que Rhea le había contado su historia mientras cenaba. Los ojos de Rhea cuajados de lágrimas en la despedida. Entonces le asaltó la realidad exterior, porque delante de él centelleaban y se entremezclaban las visiones. Rhea estaba entre las estrellas.

—¡Rhea! —gritó Zendar con gran fuerza, al mismo tiempo que avanzaba de rodillas para aferrarla.

Pero el rostro de la mujer se disolvió en la niebla y el joven volvió a encontrarse solo. Se tumbó sobre el saliente, empapado de sudor. De súbito, su mente se precipitó hacia las profundidades, atravesó el suelo de la conciencia; se arrojó por un oscuro túnel que descendía hasta una caverna interior de destinos y sueños. En el extremo inferior de esta cavidad subterránea halló un estanque. Una extraña luz interna lo alumbraba; los sones de una melodía emergieron de sus aguas. La canción de su propia alma lo estaba atrayendo.

Recuerdos fugaces acudieron a él: *diáfanas percepciones de un hogar estelar; nubes lechosas tras la ventana de un aula; la imagen brumosa de un rostro enmarcado por una cabellera de plata. Voces que cantaban desde un lugar lejano se mezclaban con su corazón, como el ritmo de un tambor apenas percibido. «Recuerda, recuerda, recuerda...» Las fronteras de su cuerpo estallaron en estrellas, que se desparramaron por el techo de su visión interior, y enfrente apareció un campo de batalla.*

Zendar cayó en la desesperación al contemplar el paisaje con sus mil enemigos. La llama de la esperanza se enfrentaba al fuego abrasador del miedo. El ego y el alma peleaban en mortífero conflicto por el control de la mente de un hombre.

Cual antiguos dinosaurios que se alzaran de un poderoso sueño, la resignación y la letargia le atacaron por la derecha, mientras que la apatía y la indiferencia cargaron desde la izquierda. ¿Habría tenido que volverse? ¿Acaso su búsqueda era un sueño? ¿Qué hago aquí yo solo?

Las fuerzas de la oscuridad se enfurecieron contra las fuerzas de la luz, y antiguas posibilidades no realizadas regresaron en forma espectral para tentarle. ¿Habría tenido que quedarse con Rhea? ¿Había elegido un mal momento para aquello? ¿Había cometido un error? ¿Había sido su ego el que lo había llevado hasta allí? ¿Y si la cueva era un rumor? ¿Acaso el sendero era un sueño fatal?

En un último esfuerzo por liberarse, se hundió hasta el manantial de su alma. Entre las imágenes gemebundas de la guerra, sintió como la llama ardiente de la esperanza se inflamaba en su corazón. Vio como su compromiso con su meta le impelía a seguir adelante. Su mente confundida vaciló y se tambaleó.

—Si no basta con intentarlo y con entregarlo todo, ¿qué tengo que hacer? —susurró—. Lo he dado todo —gritó con fuerte voz—, ¡y no me ha bastado!

Las estrellas danzaban contra el gélido firmamento color zafiro, y la voz de Zendar desapareció en el frío y negro vacío que circundaba el saliente.

—¿Qué quieres de mí? —gritó al techo que cubría el mundo—. Soy un hombre, pero sólo un hombre. ¡Yo no puedo hacer más!

Al ver que el silencio engullía sus palabras, Zendar rezó a los cielos.

—Ayúdame —rogó—. Estoy atrapado y no tengo manera de subir ni de bajar.

La desesperación reinaba en el aula, porque el corazón de Zendar impregnaba toda la atmósfera; sus pruebas eran las pruebas de todos; su dolor, el dolor de todos. El cuerpo de Zendar era débil.

—Ayúdame —dijo por fin—. ¡Me entrego a ti!

Al pronunciar estas palabras, la pared del precipicio en la que se había recostado tembló y se transformó. Zendar cayó rodando por un gran hueco que se había abierto en la roca.

—Es la cueva —susurró Élan—. Oh, Zendar, has encontrado la cueva.

17

La cueva

Zendar había quedado tumbado boca arriba y contemplaba, estupefacto, el gran techo rocoso.

—Es la cueva —susurraba.

Se volvió sobre un costado y se incorporó. La gruta era fresca, y resonaba por ella un amable sonido que ya había oído en otra ocasión. Todo el lugar estaba alumbrado por un brillante fulgor. El techo de la cueva debía de hallarse a unos quince metros de altura, como la bóveda de una catedral, como un antiguo útero donde se alojara un misterio oculto.

Cuando sus ojos se hubieron habituado a la oscuridad, Zendar distinguió una figura familiar ataviada con una larga túnica gris. Estaba de pie al otro extremo de la cueva, observándole. Detrás de esta figura, a la izquierda del joven, había cuatro grandes piedras de unos cuarenta y cinco centímetros de diámetro. A su derecha, vio otras cuatro piedras de tamaño similar. A sus espaldas había una gran roca. Su altura sobrepasaba en un metro a la de la figura de la túnica gris. Enfrente había dos sillas de madera de respaldo alto, puestas una al lado de la otra, orientadas hacia la gran roca.

Cuando se hubo acostumbrado a la oscuridad, Zendar pudo ver bien el cabello y el rostro de Raoul.

—Ven, Zendar —dijo éste. Su voz reverberaba en los muros de la cueva—. Te he estado esperando.

—Raoul. —Zendar se acercó a él, hipnotizado por la energía que inundaba la abovedada caverna—. ¿Qué haces aquí?

—Yo vivo aquí —le respondió.

—¿En la cueva?

—No. —Raoul señaló las dos sillas—. Ven —le dijo—. Siéntate conmigo y te lo explicaré.

Zendar fue hacia las sillas.

—Me alegro de verte —dijo, y se sentó.

Raoul se sentó en la otra silla, a su lado.

—Lo mismo te digo —respondió, y le puso la mano sobre el hombro al joven.

Ahora tenían todas las piedras enfrente, dispuestas en semicírculo, y Zendar vio una inscripción en cada una de ellas. Al ir leyéndolas, empezó a recordar imágenes fugaces.

—Ahora, la ventana que separa los dos mundos está abierta para ti —le dijo Raoul—. Has alcanzado tu meta. Tu amnesia empieza a disolverse.

Zendar seguía sentado y contemplaba estupefacto las piedras. Al ir leyendo, comenzó a ver a través del velo del tiempo. A su izquierda, la primera piedra tenía inscrita la palabra ACUÉRDATE. Al leerla, recordó a Élan sentado en su ventana, contemplando los vapores y la joya espiritual de su sueño. Al leer ESCUCHA en la segunda piedra, Zendar recordó a Jaron en la barca con James. Poco a poco, a medida que leía las piedras, iba recobrando la memoria. PIDE... Recordó a Élan en el río, y a Jaron luchando con la tempestad en el mar. SERÉNATE, VE, ACTÚA... De súbito, Justin y Ashley se vieron rodeados por la banda. Luego llegó a las últimas piedras: TEN FE y ENTRÉGATE. El espíritu de Zendar se tambaleó al oír la voz de Rhea: «Prométeme que regresarás a buscarme». Los oscuros ojos castaños de la mujer le traspasaron súbitamente el corazón.

—No me había dado cuenta —murmuró Zendar, volviendo a sentarse—. Es ella. Es *nuestra* Rhea. —Sus ojos buscaron el rostro de Raoul—. Por eso me resultaba familiar.

—Ninguno de nosotros es un extraño. —Raoul sonrió—. ¿Lo comprendes?

—Creo que sí —le respondió Zendar—. Pero es difícil asimilar todo esto en un rápido despertar. Ayúdame, Raoul.

—¿Recuerdas la instrucción y las simulaciones, Zendar? —preguntó Raoul.

—Empiezo a recordarlas. —Zendar tenía ya una imagen clara del aula en su memoria—. Ahora lo estoy recordando todo.

—La instrucción y las simulaciones son una metáfora de la vida —empezó a decirle pausadamente Raoul. Estaba observando atentamente a Zendar y estudiando sus reacciones—. En realidad, todo el planeta Tierra es un aula. Todo lo que allí ocurre entraña una lección. Del mismo modo que todo lo que hicimos al otro lado formaba parte de un proceso de aprendizaje, también lo que hagas en la Tierra formará parte de la formación que se recibe en el planeta.

Raoul calló por unos momentos.

—En nuestra vida real, la que vivimos en la Tierra, las simulaciones adoptan la forma de sucesos de la vida. Cada vez que, en un suceso de la vida, te acuerdes de recordar quién eres y actúes en consecuencia, habrás pasado una de las simulaciones de la vida.

Zendar adelantó el rostro y volvió los ojos hacia el suelo; sentía el poder de las enseñanzas de Raoul.

—Toda la vida es un sueño, Zendar. —La voz de Raoul levantaba ecos—. Y sólo despertamos de la amnesia cuando nos entregamos por completo.

—¿Cuando nos entregamos? —Zendar miró a Raoul a los ojos—. ¿Como yo en el saliente?

—Como tú en el saliente. —Raoul asintió con la cabeza.

—¿Y luego qué? —Zendar se volvió hacia su maestro—. Después de entregarnos, ¿qué ocurre?

—Mira —dijo Raoul, y señaló la gran piedra. Zendar volvió a sentarse bien y presenció cómo la expresión PROPÓSITO VITAL aparecía escrita en letras de plata sobre su superficie—. Éste es el último, el gran secreto —prosiguió Raoul—. Al menos, éste es el último gran secreto que se te comunicará antes de tu nacimiento. —Entonces, Raoul volvió la vista hacia un punto que se hallaba por encima de la gran piedra—. ¿Lo ves bien, Élan?

Zendar se volvió hacia Raoul, confuso.

—Yo soy Zendar.

—Lo sé, pero también estoy hablando con Élan y con el resto del grupo.

Raoul señaló hacia algo que estaba encima de la roca y entonces apareció allí una imagen del aula en transmisión, y todos los alumnos vieron cómo Zendar levantaba la mirada hacia ellos.

—Eh, os he echado de menos —exclamó.

—En ningún momento te hemos abandonado, Zendar —le respondió Élan—. Hemos estado contigo siempre.

—Pero como no podía veros, tampoco lo sabía —contestó Zendar.

—Del mismo modo que las gentes de la Tierra no saben que los seres queridos que viven al otro lado de la ventana están siempre con ellos —dijo Élan.

Zendar tomó aliento. Recordaba la simulación de Élan y la manera como todos ellos le habían sostenido en espíritu.

—Entonces, ¿habéis estado ayudándome?

—Nos lo has puesto fácil —dijo Élan, sonriente—. Eres muy abierto y receptivo.

—¿Estáis listos para seguir adelante? —dijo amablemente Raoul. Élan y Zendar asintieron—. Propósito vital —dijo

Raoul—. Quiero que comentemos el significado de esa expresión. —Se puso en pie y se acercó a la gran piedra—. Todos los niños llegan a la Tierra con tres atribuciones.

Raoul dio unos golpecitos en la piedra y aparecieron tres renglones debajo de *propósito vital.*

DONES Y TALENTOS
CONTRIBUCIÓN
LECCIONES

Raoul prosiguió; iba señalando las palabras a medida que hablaba.

—En primer lugar, dones y talentos —dijo—. Todos los niños nacen con dones y talentos especiales e, inconscientemente, saben cuáles son. En segundo lugar, todas las almas entran en la Tierra con el deber de realizar una contribución específica —dijo—. Dicho en otras palabras, cada niño tiene que realizar una contribución especial con los dones y talentos que ha recibido. Y finalmente, todas las almas vienen con lecciones por aprender. —Raoul señaló con la diestra la última palabra inscrita en la piedra.

—Como os he dicho antes —prosiguió—, estas lecciones se imparten bajo la forma de sucesos de la vida. Por ello, cada persona de la Tierra tiene un lugar especial, donde encaja en el plan general del universo. Llega con dones y talentos y, una vez los ha desarrollado, ayuda a la totalidad con su contribución. Durante el tiempo de su vida en que realiza esta contribución, las lecciones surgen espontáneamente, por la misma naturaleza del desafío representado por el ego humano y el libre albedrío. —Raoul dejó pasar unos momentos y luego habló directamente a Zendar—: Recuerdas el ego y el libre albedrío, ¿verdad?

—¿Cómo iba a olvidarlos? —le respondió Zendar.

—Bien —contestó Raoul—, muchos seres humanos lo olvidan, Zendar. Ésa es la razón por la que iniciamos este plan.

»¿Lo tenéis claro todos los que estáis allí arriba? —Ahora, Raoul se dirigía al resto de los alumnos—. ¿Justin?

—Creo que sí, Raoul. —Justin se sorprendió de que le hablara a él.

—¿Brooke?

—Por ahora, no tengo ninguna pregunta que hacer —respondió Brooke.

—¿Y qué me decís los demás? ¿Ashley? —Raoul volvió los ojos hacia ella. Estaba sentada al lado de Justin, al fondo del aula.

—Yo sí tengo una pregunta, Raoul —dijo ella—. Querría que nos explicaras esos dones. ¿Qué son exactamente, y cómo vamos a reconocerlos?

—Excelente pregunta. —Raoul volvió a su silla y se sentó—. Hablemos de la simulación. ¿Cuántos de vosotros habéis creído tener dones especiales durante la simulación? —Jaron y Élan parecieron perplejos.

—No lo entiendo —exclamó Justin.

—Creo que yo sí. —Zendar inclinó el cuerpo hacia adelante—. ¿Puedo intentarlo?

—Te lo ruego. —asintió Raoul.

—En realidad, no puedo decirte cuáles son mis dones, Raoul, pero sí te diré lo que opino de las personas a quienes amo.

—Perfecto, Zendar —dijo—. Explícame lo que ves en Élan.

Éste siguió con interés lo que Zendar decía de él.

—Pues bien, Élan tiene un espíritu especial, un brío y entusiasmo peculiares que se manifiestan en todo lo que hace.

Élan sonrió, conmovido por la respuesta de Zendar. Jamás le había oído decir aquello.

—Siempre está bien predispuesto, y se aplica con total dedicación a las tareas que emprende. —Zendar calló por unos momentos—. Siempre está dispuesto a enfrentarse a lo desconocido con entusiasmo y resolución. Sus dones se centran en la alegría que aporta a nuestra búsqueda. —El joven se volvió hacia la transmisión—. Podría seguir hablándote de mi amigo, pero ya he dicho lo que más te interesaba, ¿verdad, Raoul?

—Así es. —Raoul asintió y se volvió hacia Ashley—. ¿Lo comprendes? A menudo podemos descubrir nuestros propios dones a través de los ojos de nuestros amigos y seres queridos.

—Gracias, Raoul —le respondió Ashley tímidamente.

—Bueno, es mi turno —dijo Élan. Se levantó y se volvió hacia la imagen de Raoul—. ¿Puedo hablar de Zendar?

—Por supuesto. —Raoul estaba contento con ellos.

—Zendar —Élan, que estaba escudriñando la energía de su amigo, habló con aire pensativo— tiene coraje. Tiene la fuerza de tomar resoluciones y de comprometerse sólidamente. Es muy disciplinado. Jamás dejaría una tarea a medias y a veces desiste de aceptar nuevos retos porque quiere terminar lo que ya ha comenzado. —Sonrió para sus adentros—. El poder de concentración de Zendar sobrepasa cualquier otro que yo haya conocido. Es perspicaz, de mente despejada, y sabe centrarse. He hallado en él a un amigo muy querido y leal. —Entonces, Élan se dirigió directamente a Zendar—. Gracias por todo lo que me has dado, amigo mío.

Justin intervino.

—Quiero hablar de los dones de Ashley. Ashley es sensible y refinada. A veces, los demás no reconocen su fuerza interior a causa de su apariencia exterior. Es tremendamente profunda. Tiene una sed insaciable por comprender. Siempre penetra hasta lo más profundo de las situaciones y las personas, y esta cualidad le confiere sabiduría en sus actos. —Justin se arrellanó cómodamente en su asiento, pero se irguió de nuevo, como si hubiera recordado algo de repente—. Una cosa más. —Levantó la mano derecha—. Ashley tiene la capacidad de salir adelante frente a presiones extraordinarias. —Justin volvió a relajarse, satisfecho por haber logrado decirlo.

—¡Excelente!

Raoul se sentía impresionado por su franqueza, pero lo que más le impactó fue el respeto y el apoyo que se otorgaban unos a otros. Era esto lo que unía al grupo, y lo que le permitiría mantenerse unido más adelante. Se volvió de nuevo hacia la transmisión y prosiguió:

—Cada uno de vosotros tiene que saberse importante para el plan y para cada uno de los demás. Zendar está centrado y es fuerte, Justin animoso, Jaron es ecuánime y rico en recursos, y Élan aporta su entusiasmo a todas las aventuras. Cada uno de vosotros destacará en momentos distintos, pero todos sois importantes para la misión y para llegar a la meta.

—¿Y qué hay de los demás? —exclamó Brooke.

—Todos y cada uno de vosotros sois importantes para el plan. —Raoul sonrió. No había querido excluir a los otros—. Ni una sola alma se queda fuera —dijo con firmeza. Notando que Brooke aún se sentía incómoda, añadió—: Uno de tus dones especiales es la estabilidad, Brooke. El equipo la necesitará y tú estarás allí para proporcionársela.

—Siempre he visto esa cualidad en ti —añadió Jaron—. Cuento con ella. —Brooke sonrió y se arrellanó en su asiento. Ya conocía esa cualidad suya desde antes.

—El plan se dará a conocer a su debido tiempo —confirmó Raoul. Brooke asintió. Por dentro, se sentía segura de su papel, aunque no lo demostrara. Raoul se dirigió entonces a todo el grupo—. ¿Queda alguna otra pregunta?

—Yo no tengo ninguna —respondió Justin.

—Yo sí tengo otra —dijo Ashley. Justin sonrió. Siempre había admirado la insaciable sed de saber de la joven—. ¿Cuál es la diferencia entre dones y talentos?

—¡Ésa sí que es una buena pregunta! Se parecen mucho —dijo Raoul—. La diferencia estriba en que los dones son rasgos de carácter como los que hemos mencionado ahora, mientras que los talentos pueden modelarse hasta convertirse en habilidades o artes. En otras palabras, empleamos nuestros dones para dar forma a nuestros talentos y, al hacerlo, desarrollamos esos mismos dones que son rasgos de carácter.

—Así pues, ¿la capacidad mecánica y la habilidad de cantar, escribir o bailar son talentos? —preguntó Ashley.

—Así es.

—¿Y nosotros desarrollamos nuestros dones de carácter, como el coraje o la disciplina, en el mismo proceso de perfeccionar nuestros talentos? —preguntó Ashley.

—Correcto —respondió Raoul—. De esta manera, los dones y talentos se apoyan unos en otros. Podemos desarrollar la paciencia, la disciplina y el compromiso para con una meta al mismo tiempo que perfeccionamos nuestros talentos para bailar, dar consejos a los demás o dibujar, por ejemplo.

—¿Y vamos a ir a la Tierra para desarrollar unos y otros? —preguntó Ashley.

—Sí —le contestó Raoul—. Con el propósito de contribuir a una totalidad superior.

—Gracias, Raoul. —Ashley se relajó, satisfecha.

Raoul asintió.

—¿Queda alguna otra pregunta? —Como no halló respuesta, se volvió hacia Zendar—. Eso es todo, amigo mío.

»Al final de este tiempo de estudio, ¿qué conclusiones has extraído acerca de la naturaleza del ser humano? —Raoul sonrió y miró a los ojos al joven—. Me parece que, de hecho, puedo formularte así la pregunta: ¿qué significa *en realidad* ser humano?

—¿Qué significa *en realidad* ser humano...? —dijo Zendar pausadamente—. He aprendido, por mi experiencia, que las preguntas tienen más fuerza que las respuestas. Y ésta es la pregunta más importante que se haya planteado un humano a lo largo de los tiempos.

—Explícate.

Zendar volvió la mirada hacia el suelo de la caverna y pidió ayuda, al mismo tiempo que ponía orden en sus pensamientos.

—Yo creo que la pregunta acerca del significado del ser humano es una pregunta eterna, y sin embargo, al mismo tiempo, profundamente personal. Es una pregunta que se halla en el centro de la búsqueda de significado por parte del hombre, de su búsqueda por comprenderse a sí mismo en relación con el mundo... con su familia, su comunidad, su país y todo el universo. —Zendar calló y levantó los ojos. Sentía la mirada de Élan clavada en él. El apoyo de su amigo le daba confianza.

Se volvió hacia el profesor y se maravilló de su aspecto imponente, con aquella túnica gris que reposaba en pliegues sobre los brazos de la silla.

—Esta pregunta es central en el programa de aprendizaje de todos los seres humanos de la Tierra. —Zendar aguardó unos momentos antes de proseguir—. A lo largo de las eras, grandes maestros y pensadores han pugnado con ella, y cada uno ha encontrado su verdad personal en esta pugna por comprender.

—¿Podrías explicarnos esto último?

—Tú nos hablaste de Gandhi. Al tratar de responder por sí mismo a esta pregunta, Gandhi descubrió su propósito vital. Para Gandhi, ser humano significaba ser libre.

—Entonces, la libertad es la respuesta.

—No es tan simple.

—Prosigue.

—La libertad es un aspecto de la respuesta, pero las respuestas parciales a la pregunta formulada podrían llevarnos al dogma. La fuerza de esta pregunta radica en que no tiene una respuesta singular. Es una pregunta viva. Nos pertenece a todos y tenemos que hallarle respuesta en el transcurso de nuestra vida. —Zendar se serenó y se centró en lo que ocurría al otro lado de la ventana del tiempo, de tal modo que la historia de la Tierra comenzó a desplegarse ante su ojo interior—. Por haberse preguntado lo que en realidad significa ser humano, Gandhi vivió una vida sencilla de manera profunda. Pero ha habido otros individuos que han respondido a la pregunta a lo largo de su vida —dijo—. Gracias a la mano y a los ojos de Miguel Ángel, apareció un hombre perfecto llamado David. Según la estimación de René Descartes, el mayor don del hombre es su capacidad de pensar. «Pienso, luego existo», dijo. Marco Aurelio creía que la flecha de la vida debe apuntar siempre hacia la consecución de la virtud, mientras que Platón opinaba que las metas de la vida son la verdad, la belleza y el bien. Leonardo da Vinci respondió a la pregunta con su ser humano perfectamente proporcionado, que le sirvió como símbolo de equilibrio espiritual, mental, emocional y físico. Y ha habido otros miles de personas, algunas famosas y otras desconocidas. Cada vez que hallamos una vida sencilla vivida de manera extraordinaria, nos encontramos con que la pregunta ha servido de contexto para el contenido de las acciones de una persona.

—Magnífico, Zendar. —Raoul no pudo ocultar su contento. La lúcida interpretación que Zendar había hecho de aquellos complejos conceptos era impresionante—. Pero ¿qué me dices del propósito vital? ¿Qué representa en todo esto?

—La pregunta por el significado establece el contexto de nuestra vida, mientras que el propósito vital determina su contenido. —Zendar advirtió la amplitud de su propia capacidad de comprender—. Según yo lo veo, existen dos propósitos vitales en el planeta Tierra. —Zendar cruzó el pie derecho sobre el izquierdo, se recostó en la roca y siguió hablando—. Creo que existe un propósito vital planetario y también un propósito vital personal, Raoul. Dime si mi interpretación es acertada.

—Zendar se apartó de la roca y levantó los ojos hacia las palabras *propósito vital*—. En algunas ocasiones, durante mi explicación, emplearé la palabra *misión* como sinónimo de *propósito vital*, ¿de acuerdo?

—Prosigue —dijo Raoul con un gesto de asentimiento.

—Está bien. El propósito vital planetario, o misión de cada uno de los seres humanos de la Tierra, es vivir de acuerdo con la ley del amor activo incondicional. Ésta es la misión principal de todos los individuos. El amor engendra vida en abundancia, y todos los que se hallan en la Tierra tienen esta misión o propósito vital en común.

Zendar observó brevemente a Élan y sintió sus pensamientos. Su amigo le estaba mirando extasiado. Sabía que ya no les quedaba mucho tiempo para estar juntos y se preguntó adónde llegaría cada uno por el camino de su nacimiento. Viendo a su amigo en la transmisión, Élan se juró encontrar a Zendar, independientemente de la distancia que los separase, en cuanto hubieran nacido. Zendar le guiñó el ojo para tranquilizarle. Élan entendió que su amigo había adoptado el mismo compromiso.

Zendar se volvió hacia Raoul.

—Después nos encontramos con las misiones menores. Cada individuo nacido en la Tierra tiene un propósito vital personal o misión menor que llevar a término. Este propósito es la contribución que la persona se compromete, antes del nacimiento, a aportar a la totalidad de la familia humana.

—Ponme ejemplos de posibles misiones menores. —Raoul le dio una palmada en la nuca.

—Bueno, la misión menor puede consistir en cometidos tales como criar una buena familia, o hacerse cantante al mismo tiempo que se cría la familia, o médico, o dedicarse a la ingeniería ambiental. Éstas son algunas de las misiones personales menores que el individuo puede elegir como contribución al bien general. —Zendar calló por unos momentos—. Fijémonos en que el individuo puede tener que llevar a término dos o tres misiones menores a lo largo de su vida.

—¿Y qué relación existe entre la misión menor de cada persona y la misión mayor de amor incondicional? —le preguntó Raoul.

—No sólo importa lo que hacemos, sino también cómo lo hagamos —respondió Zendar, pensativo—. Y el «cómo» se refiere a la misión principal, la misión de amor.

—Prosigue.

—No se trata sólo de criar una familia o de ser médico. Lo que cuenta es cómo lo hagamos. Nuestra misión principal es el amor. El amor ha de ser la diana por la que se guíe la saeta de nuestras acciones. Tenemos que poner todo nuestro amor en cualquier cosa que hagamos. —Zendar aguardó antes de seguir hablando—. Algunas personas sienten el deseo constante de estar haciendo otra cosa.

—Podrías explicar... —insistió Raoul.

—De acuerdo. —Zendar sacudió la cabeza y reflexionó—. Por ejemplo, supongamos que hay que criar a unos niños. Algunas madres y algunos padres se sienten desgarrados por el deseo de tener una brillante carrera profesional. En ningún momento se sienten verdaderamente cómodos con su posición, cumplen con su papel sin íntima convicción. Toda la familia percibe la energía así activada y los niños la heredan.

—¿Y entonces?

—Y entonces los niños internalizan el conflicto y nunca más encuentran la paz consigo mismos.

—¿Cuál es el antídoto?

—Entregarse —dijo Zendar, apartándose de la gran piedra—. Tenemos que aprender a confiar en la vida y a entregarnos a cualquier tarea que se nos presente. Nuestro propósito vital planetario es una diana móvil. Tenemos que amar todo lo que aparezca en nuestro camino, amarlo con el corazón entero y amarlo bien. Entonces, la vida nos facilitará el siguiente paso en la progresión hacia nuestra eclosión final. —Zendar reflexionó por unos momentos—. Lo que hago, ¿lo estoy haciendo con amor? Ésa es, siempre, la pregunta que relaciona nuestra misión menor con la principal.

—Tus explicaciones son claras y precisas, Zendar. —Raoul levantó los ojos y le hizo señas al Anciano Em, quien se hallaba al fondo del aula siguiendo el coloquio.

El anciano asintió en aprobación.

—Entonces, ¿eso es todo? —preguntó Zendar.

—¡Eso es todo! —Raoul, sentado en su silla, se relajó satisfecho.

—¿Puedo preguntar algo ahora? —Zendar volvió a sentarse en la silla al lado de su maestro.

Raoul sonrió. El Anciano Em tenía razón. Aquel alumno era extraordinario. Su sabiduría superaba ampliamente a sus años. «Algún día, será un maestro excepcional», pensó.

—Por supuesto que puedes —le respondió.

—Entonces dime, Raoul, ¿dónde queda la pregunta original?

—¿Qué pregunta era ésa?

—La que que te hice al entrar en la cueva —le respondió Zendar—. La pregunta por el lugar en donde vives. —Raoul le estaba mirando inquisitivamente—. Si tu hogar no está en esta cueva, entonces, ¿dónde vives, Raoul?

—La vida es un hecho milagroso, Zendar. —Raoul miró pensativamente a los ojos de su alumno.

—Eso lo comprendo —le contestó Zendar. ¿Acaso Raoul le estaba dando evasivas?—. Pero todavía no has respondido a mi pregunta. Si la cueva no es tu hogar, entonces, ¿dónde vives?

—¿Dónde está mi hogar? —Raoul suspiró y apoyó los codos en los brazos de la silla—. ¿Dónde vivo? —Al proseguir, miró pensativamente a los ojos a Zendar—. Vivo en el corazón de cada hombre y de cada mujer —dijo—. Soy la luz del espíritu. Soy paz y sabiduría, y aguardo la entrega de los seres humanos.

»Verás, la cueva es una metáfora, Zendar. —Los ojos de Raoul eran profundos estanques que se agitaban con luz interior—. Representa el corazón de cada uno de los seres humanos —dijo—. Y yo aguardo a que todos vengan a mí.

—Entonces, cuando alcance mi meta en la Tierra y despierte plenamente, ¿te encontraré allí? —preguntó Zendar.

—No exactamente.

—Entonces, ¿qué encontraré?

—Te hallarás a ti mismo.

—Ahora soy *yo* quien no lo entiende.

—Porque todavía no has llegado hasta allí.

—¿No podrías explicármelo?

—Todos nosotros somos el mismo. —Raoul sostuvo la mirada de Zendar—. Cuando llegues, descubrirás que todos somos uno, no sólo en teoría, sino también en la realidad. El espíritu que vive en ti, también vive en mí. Por fuera parecemos distintos, pero por dentro somos y siempre hemos sido el mismo.

El silencio resonó en la caverna. En el aula, encima de la Gran Piedra, nadie se movía. Nadie había esperado aquello.

—Hemos terminado. —La sonora voz de Raoul quebró el silencio con amable firmeza—. El proceso de instrucción ha terminado.

—Me siento humilde. —El silencio pareció alargarse durante una eternidad; ambos se quedaron sentados en silencio.

—¿Estás listo? —le preguntó finalmente Raoul.

—Creo que sí.

—Entonces, dame la mano, Zendar, y regresemos.

Zendar puso su mano izquierda sobre la del profesor y todo comenzó a disolverse lentamente en torno a ambos.

18

La gran aventura del alma

Zendar no supo nada más hasta que él y Raoul aparecieron juntos enfrente de la clase. Élan habría querido correr al lado de su amigo, pero no le pareció apropiado. A diferencia de lo que había ocurrido al terminar otras simulaciones, una callada reverencia impregnaba la sala. La amnesia había desaparecido por completo y todos estaban atentos a la coyuntura que se acercaba. El transcurso del tiempo, y los mismos alumnos, se hallaban al borde de un precipicio que separaba dos mundos.

El frufrú de la túnica, que acompañaba al Anciano Em en sus andares, era lo único que perturbaba el silencio. El anciano caminaba lentamente entre las hileras de pupitres y calibraba con detenimiento la expectación reinante. Era un momento cargado de presagios, en el que los preparativos realizados se encontraban con el destino.

—Zendar —dijo, saliendo delante de la clase.

Le tendió la mano derecha y Zendar la aferró al mismo tiempo que se abrazaban. Raoul se quedó más atrás, exultante de gozo. El amor de aquellos dos era especial.

—Creo que lo hemos logrado, Anciano Em. —Zendar respiró hondo y retrocedió para poder ver la cara de su maestro.

—Sí, lo hemos logrado.

El Anciano Em intercambió una mirada de inteligencia con Raoul, quien se les acercó. Aquello había salido aún mejor de lo que habían previsto en sus planes. Zendar se había destacado con sus tesis. Como resultado, todos los alumnos habían conocido un sagaz análisis del proceso de aprendizaje, realizado por uno de los mismos alumnos.

—La vida es una paradoja. —Zendar prosiguió con sus observaciones—. Mientras yo creía estar viajando por el exterior en busca de la cueva, Anciano Em, en realidad había iniciado un viaje interior por el paisaje de mi propia esencia. Y en el lugar donde creí que estaría solo, en la cueva, me encontré a mí mismo, me sentí pleno, lleno de paz y sabiduría. —Sonrió a Raoul.

—Lo has hecho bien, hijo mío —concluyó el Anciano Em. Zendar asintió.

—Te doy las gracias, Raoul —dijo, y le dio la mano a su maestro antes de volver a su asiento—. Siempre te recordaré.

El Anciano Em sabía que Raoul tendría que irse pronto.

—Y bien, amigo mío, ¿hay algo más que quieras decirnos antes de partir?

—Creo que ya está dicho casi todo. —Raoul se volvió hacia la clase—. Vuestras misiones acaban de comenzar —dijo—. La única parte del plan que ha terminado es el proceso de aprendizaje. Recordad que no estaréis solos. Aunque seáis el primer grupo que recibe formación previa, no seréis el último. Otra hornada de alumnos os seguirá. —Raoul sonrió y alzó la mano a modo de despedida—. Cuando transitéis por la vida, recordad siempre que nuestro objetivo es la transformación de la conciencia en la Tierra. Vuestro propósito vital consiste en lograr un renacimiento de la esperanza y la capacidad de maravillarse, un renacimiento del bien entre los seres humanos.

—Entonces, Raoul se disolvió y el Anciano Em se quedó solo delante de sus alumnos.

—¡Hemos terminado! —dijo el anciano—. Todas nuestras enseñanzas estaban encaminadas hacia este momento.

—Entonces, ¿vamos a nacer ya? —Justin dudaba.

Aunque siempre había sabido que llegaría aquel momento, nunca había tenido clara conciencia de su realidad. Estaba a punto de iniciar un viaje hacia su destino. ¿Adónde le llevaría?

—Sí —respondió el anciano—. Casi todos vosotros partiréis dentro de poco. Vais a iniciar la gran aventura de vuestra alma.

—¿Por qué dices «casi todos»? —le preguntó Justin, súbitamente nervioso al pensar que tendría que separarse de Ashley.

Se volvió y atisbó el perfil de la joven, quien estaba observando al anciano desde algunos asientos más allá.

—Bueno, cada uno de vosotros tiene un camino de nacimiento específico. Algunos os marcharéis antes que otros.

Justin se preguntó qué habría querido decir realmente con aquello. ¿Durante cuánto tiempo tendría que aguardar para encontrarla? Rezó en silencio porque la espera no fuese larga.

Jaron miró con aprensión a Brooke. ¿Cuánto tiempo pasarían separados? ¿Dónde iban a encontrarse? Brooke trató de sonreír, pero sentía náuseas en el estómago.

El malestar era general. Flotaba en el aire. Por primera vez, los miembros de la clase tendrían que enfrentarse a lo desconocido en solitario. Habían pasado juntos por el proceso de aprendizaje. Se habían enfrentado a las adversidades y habían derrotado a la Condición Humana en equipo. Ahora, los veinticinco tendrían que hacer frente al futuro por sí solos.

Élan sintió tensión en el brazo derecho; sus dedos, inconscientemente, estaban trazando letras en la cubierta del manual. Se detuvo y contempló a Zendar, y por un momento deseó que ambos hubieran podido nacer juntos. Sabía que era imposible. Los dos amigos habían aceptado que su separación era inevitable. Ahora tenían que concentrarse en volverse a encontrar en el futuro.

La voz del Anciano Em interrumpió sus pensamientos.

—Élan será el primero —dijo apaciblemente.

Élan levantó de súbito la mirada y buscó una explicación en los ojos del anciano.

—No puedo marcharme tan pronto.

Toda la clase contenía el aliento.

—Tienes que partir ahora mismo.

—¿De verdad tengo que ser el primero?

—Tienes que ser el mayor cuando nazca el equipo.

—Pero tengo miedo.

—No te ocurrirá nada. Tu madre te está esperando —le respondió el anciano con serena confianza.

Al ver que Élan aún vacilaba, el anciano siguió hablándole.

—Otros entes te aguardan al otro lado para ayudarte, Élan. Aunque vayas a nacer en el seno de una familia dormida, la hora de tu despertar ya está fijada. Serás llamado, y en cuanto comience tu despertar, los esfuerzos de tu alma por convertirse en amor activo hallarán auxilio. —El Anciano Em se dirigió entonces a todo el grupo—: En lo tocante a cada uno de vosotros, el plan se desarrollará siguiendo un horario muy específico —dijo—. Confiad en el plan.

—Confío en él —respondió Élan, y salió al frente de la clase; era el centro de atención de todos—. Confío de verdad. —Su voz apenas se oía.

Élan contempló la larga hilera de pupitres donde estaba sentado su amigo. Zendar se puso en pie y salió como un rayo al lado de Élan. Los dos se abrazaron, y Zendar susurró:

—Volveremos a vernos, amigo mío. —Le temblaba la voz—. ¡Te lo prometo!

—Te necesito —le respondió Élan.

—Yo también te necesito a ti.

—No pasará mucho tiempo antes de que nos encontremos, ¿verdad?

—No tardaré en ir allí. —Zendar se sentía como si el corazón se le fuera a romper. ¡Llevaban tanto tiempo juntos! ¿Cómo iba a aguantar sin él durante tantos años? ¿Con quién iba a compartir sus pensamientos y sus sueños? Tenía que darle fuerzas a Élan—. Allí abajo, nos ayudaremos a encontrar la verdadera cueva —le dijo para darle aliento.

Élan asintió con valentía.

—¿Y Rhea?

—También la encontraremos a ella. —A Zendar le dolía el pecho.

—En cuanto estés listo... —El Anciano Em le hablaba con voz amable, pero la partida ya no podía demorarse más.

—Ya lo estoy. —La voz de Élan temblaba ante lo inevitable. No había apartado los ojos de Zendar—. Te quiero mucho, Zen.

—Y yo a ti. —Al decirlo, Zendar se apartó de Élan.

—También os quiero muchos a todos los demás. —Élan se volvió hacia el resto de la clase. Brooke asintió con la cabeza.

—Cuando llegues allí abajo, búscame, Élan —exclamó Justin—. ¡Yo voy a bajar en seguida!

Élan no pudo evitar una sonrisa. Su amigo jamás cambiaría. Se volvió hacia Zendar. Le vio llorar.

—Ha llegado la hora de que abandones tu traje-cuerpo —dijo suavemente el Anciano Em y chascó los dedos—. Tu madre te está aguardando con el verdadero.

Súbitamente, la luz espiritual de Élan refulgió desencarnada y quedó a la espera de las órdenes del anciano. Entonces, el alumno comprendió que el maestro quería verle tomar la iniciativa y dijo:

—¿Podrías decirme qué tengo que hacer ahora? Estoy algo nervioso.

—Por supuesto. —El anciano sonrió, sensible a su situación—. Es hora de que te vayas, Élan —dijo—. Acuérdate de recordar quién eres. —Inclinó levemente la cabeza frente a la luz en que se había convertido Élan—. Vete, y que Dios te acompañe en el viaje por la vida.

El anciano levantó la diestra para impartirle una bendición y la luz de Élan comenzó a disolverse lentamente. Al cabo de un momento, Zendar se quedó solo con el Anciano Em delante de la clase.

—¿Ha terminado todo? —susurró Justin, quien de pronto, con un sobresalto, se había dado cuenta del carácter definitivo de aquella experiencia—. ¿Élan ha desaparecido para siempre?

—Élan ha atravesado la Ventana del Tiempo —le respondió calmadamente el anciano.

El atónito silencio que reinaba en el aula empezó a resquebrajarse, porque la desnuda realidad los había golpeado a todos. En esta ocasión, nadie sentía alegría ni entusiasmo. En esta ocasión, la transmisión no produjo crepitaciones ni ruidos secos. Esta vez, no sentían ilusión por lo que iba a ocurrir. No podrían compartirlo con Élan. Él no regresaría.

A Zendar le temblaban las piernas. Miró con aprensión al anciano. ¿Cómo reaccionar? Jamás había pasado por nada parecido. Habría querido tener un guión o directrices de algún tipo. Se sentía vacío por dentro, aturdido.

El Anciano Em advirtió las dudas de Zendar y se le acercó. Agarró por el hombro al joven.

—Todo le irá bien —le dijo. Los ojos de Zendar le escrutaron el rostro—. Y también a ti —añadió—. Todo se resolverá a su debido tiempo, Zendar, te lo prometo.

—Supongo que ahora debo cultivar la paciencia. —Zendar sonrió levemente al pensarlo. En este aspecto, siempre había sido el más fuerte de ambos, pero ahora, por algún motivo, se sentía perdido, inseguro.

—Tenemos que proseguir, Zendar —dijo el Anciano Em,

en tono de amable disculpa—. No podemos hacer otra cosa.

—Lo sé. Lo lamento. —Zendar se tragó sus sentimientos—. Yo creía que sería fácil. Al fin y al cabo, ya sabía que se acercaba el momento del nacimiento. Casi lo deseaba. Todos tenemos que ponernos en marcha para cumplir con el plan de nuestra vida.

»Pero ahora que lo tengo tan cerca, me siento abrumado. —Los ojos de Zendar estaban llenos de lágrimas—. No me imagino cómo podré vivir sin él. Éramos muy buenos amigos.

El Anciano Em se mostró tierno.

—Siempre lo seréis. —Le estrujó el brazo a Zendar con convicción—. Algún día volveréis a estar juntos —dijo sonriente—. Confía en tu saber interior, Zendar. No olvides jamás quién eres.

Al ver los amables ojos verdes del anciano, Zendar sintió que se le relajaba la tensión de los hombros.

—Oh, gracias. —Ahora sólo podía pensar en el futuro. Era todo lo que le quedaba. Sus dos mejores amigos le estaban aguardando allí, tras la ventana, en otro tiempo. Tenía que confiar en la vida y en las promesas de que se iban a encontrar algún día—. Comprendo —dijo, y volvió a su asiento.

Al mismo tiempo que Zendar se sentaba, el Anciano Em calló. El silencio que reinaba en el aula estaba impregnado de aprensión.

—Ahora es tu turno, amigo mío —dijo el Anciano Em, y miró mansamente a Justin, que jugaba sin cesar con las cubiertas del manual.

—No sé si estoy preparado, Anciano Em. —El joven enrojeció de ansiedad nerviosa—. ¿No podrías enviar antes a algún otro?

—Ya sabes que tenemos que seguir un horario, Justin —le respondió el Anciano Em—. No puedes hacer esperar a tu madre.

Justin se volvió hacia Ashley, que estaba sentada a su lado. Le ofreció la mano y ella la aceptó.

—No te olvidaré —dijo Ashley afablemente—. Volveremos a vernos allí abajo.

Justin le miró a los ojos y respiró hondo, como para inhalar sus palabras. Asintió con la cabeza y soltó la mano de Ashley; se puso en pie y salió al frente con pasos lentos. Zendar vio como su amigo se volvía hacia la clase.

—¿Estás listo, Justin? —le preguntó el Anciano Em con voz suave.

—Tan preparado como es posible. —Justin asintió y sostuvo con firmeza la mirada de Ashley.

—Tienes que devolver tu traje-cuerpo simulado —dijo el Anciano Em.

El traje de Justin se disolvió lentamente y su luz-alma no tardó en ocupar la parte delantera del aula.

Zendar lo contempló con extasiada fascinación y pensó en Élan al observar las diferencias de color entre ambos. Nunca se había percatado de aquella distinción; ahora, era capaz de diferenciar claras variaciones en el color y la vibración. Élan se componía de tonos violeta, con manchas doradas que refulgían por sus abigarrados contornos. La luz de Justin estaba más cerca del azul y del verde. Estas claras diferencias le recordaron por un momento los colores brillantes de su sueño. Entendió que cada color representaba una energía distinta y se preguntó cómo se manifestaría cada una de ellas en la Tierra.

—Acuérdate de recordar quién eres, Justin —dijo el Anciano Em, y alzó la mano a modo de saludo—. Que te acompañen bendiciones en tu viaje por la vida.

Y dicho esto, la luz de Justin se disolvió y el Anciano Em volvió a quedar solo delante de la clase.

Zendar se abstrajo acto seguido en sus pensamientos, mientras el Anciano Em iba procediendo metódicamente con los miembros de la clase. Una tras otra, las almas salieron al frente y se despidieron del grupo. Una tras otra, se quitaron sus trajes-cuerpo simulados y desaparecieron entre las brumas. Zendar se fue distrayendo intermitentemente de lo que ocurría hasta que le tocó el turno a Jaron.

Éste sostuvo durante largo rato la mano de Brooke y finalmente salió con valentía al frente de la clase. Zendar le saludó con la cabeza antes de que desapareciera. Brooke fue la siguiente, pero Zendar sabía que probablemente pasarían años antes de que volvieran a encontrarse.

Cuando llamaron a Ashley, le sonrió en un intento de darle ánimos. Se sentía unido a Ashley a través de Justin y, al ver que salía ante la clase, le deseó suerte en silencio. Observó atentamente su marcha, y mientras se disolvía lentamente ante sus ojos, se fijó en que su luz era azul y violeta.

Finalmente, el aula quedó vacía. Zendar y el anciano eran los únicos que seguían allí.

—Bueno, Anciano Em... —Zendar se puso en pie y salió al frente de la clase, como había visto hacer a todos lo demás—, ahora debe de tocarme a mí. —Tras haber aguardado durante todo el proceso, se sentía definitivamente preparado.

El Anciano Em calló mientras su alumno se le acercaba. Zendar se detuvo al lado del anciano.

—Estoy preparado —le dijo.

Estaba pensando en Élan. Cuanto antes naciera, antes se reuniría con él.

—Tu destino es distinto, Zendar. —El Anciano Em miró a Zendar a los ojos.

—¿Qué quieres decir? Voy a nacer, ¿verdad?

—A su debido tiempo.

—¿A su debido tiempo?

—Tendrás que esperar, Zendar. Aún tenemos que ultimar los preparativos para tu nacimiento.

—Estoy confuso, Anciano Em, ayúdame.

—Cuando estuviste en la Tierra, hiciste una promesa, Zendar.

—¿Hice una promesa?

—Así es.

—Oh, por supuesto —recordó Zendar—. La que le hice a Rhea. —Su rostro se iluminó al recordarla.

—Sí, me refería a ésa —corroboró el anciano—. Ha cambiado tu destino.

—¿En qué sentido?

—Prometiste que regresarías para ayudarla. —Calló por unos momentos y contempló los profundos ojos azules de Zendar—. Toda promesa queda inscrita en los éteres de la eternidad —dijo—. Y ahora, has quedado obligado por tu palabra.

—Pero ¿cómo voy a cumplir la promesa que le hice?

—Estamos trabajando en ello —le respondió el Anciano Em.

—Pero ¿cómo lo haréis? —Zendar no entendía cómo podía ayudarla. Cuando volvieran a encontrarse, Rhea sería mucho mayor. Su confusión era total—. Por favor, explícamelo.

—Ahora mismo, estamos trabajando en el proceso de guiar a Rhea en su desesperación —dijo—. Con el tiempo, conocerá a otro hombre, un hombre muy especial, profundo y sensible, que querrá compartir su viaje con ella.

—Pero ¿en qué me afecta eso? —le preguntó Zendar.

—Se casarán, y Rhea tendrá un hijo.

—¿Yo? —dijo Zendar, interrumpiéndole. Tenía los ojos desmesuradamente abiertos de pura sorpresa—. Pero si soy un bebé, ¿cómo voy a poder ayudarla? —No podía ocultar su perplejidad.

—Vas a recibir una formación especial durante el tiempo de espera, Zendar. —El Anciano Em se encaró con su alumno—. Nacerás con un cuerpo muy especial —le dijo—. Durante este tiempo de espera, te quedarás conmigo y aprenderás el arte y la aplicación del amor perfecto.

Zendar estaba complacido. No había contado con poder pasar un tiempo suplementario instruyéndose con el Anciano Em.

—¿Podré volver a ver a Raoul? —preguntó, emocionado ante aquella posibilidad.

—Ya lo veremos. —El Anciano sonrió enigmáticamente y le señaló la puerta.

Salieron juntos del aula, y aquella misma noche, el anciano ayudó a Zendar a mudarse a su nuevo alojamiento. Mientras durara su aprendizaje, ocuparía una habitación en el mismo pasillo que su mentor. El nuevo grupo de alumnos llegaría al cabo de poco tiempo, pero Zendar se iba a quedar cerca de su amado maestro.

Aquella noche, durmió con un sueño profundo, fatigado tras los acontecimientos del día. Rezó pidiendo orientación para el proceso de aprendizaje y para su futura vida.

EPÍLOGO

En los momentos que siguen al alumbramiento, todas las madres buscan el rostro del doctor. Rhea no fue una excepción, pero algo la puso sobre aviso antes de que viera la cara del médico. Después de que el niño llorara, todos callaron en la sala de partos, como si un manto de silencio hubiera caído sobre su lecho.

—¿Y bien? —preguntó; las gotas de sudor aún le resbalaban por la frente después de tanto esfuerzo.

—Es un chico —dijo el médico, acariciando suavemente los pies del recién nacido.

—¿Por qué calláis todos?

—No es nada grave, Rhea.

—¿De qué estáis hablando? ¿Dónde está?

—Aquí lo tienes, Rhea. Lo siento mucho. Las piernas de tu hijo no se formaron apropiadamente durante el embarazo, y tiene lo que llamamos pies equinovaros.

—Por favor, démelo.

El doctor se lo entregó tiernamente a Rhea; su pequeño cuerpo estaba envuelto en una sábana. La mujer lo oprimió contra su pecho, y el marido de Rhea, Michael, se acercó ansiosamente.

—Dejadnos solos con él —dijo ella en voz baja, tratando de agarrar la mano de Michael.

—No podemos hacer eso, Rhea —dijo la enfermera—. Aunque sí que podemos dejártelo unos minutos antes de llevarlo a la nursería.

Cuando se hubo quedado sola con su marido y su hijo, Rhea destapó el rostro de su bebé recién nacido. El corazón de Zendar palpitó al sentir su presencia. Era su amada Rhea. La madre lloró al contemplar los ojos azules de su primer vástago. Acarició las piernas del bebé y miró a su marido. No comprendían nada. Aquellas piernas parecían normales.

Cuando el doctor volvió con la enfermera, Rhea le preguntó qué ocurría.

—Los pies equinovaros no son visibles en el momento del parto —dijo—. Tiene los huesos deformados, Rhea, pero sólo hemos sabido lo que le ocurría al palpárselos. Se irá notando a medida que crezca. Entonces comenzará nuestro trabajo.

—¿Es muy grave, doctor? —preguntó Michael.

—No lo sabremos hasta que hayamos estudiado las radiografías. En la mayoría de los casos, empezamos a escayolar las piernas del niño cuando ronda los tres o cuatro meses. En los casos menos graves, puede bastar con algunos años de tratamiento. En los peores, a menudo hay que recurrir a la cirugía.

—¿Podrá andar?

—Sí, podrá. La tecnología moderna hace maravillas. Puede que el tratamiento sea largo, pero vuestro hijo tendrá una vida normal y sana. Ahora, debemos llevarlo a la nursería.

Rhea y Michael le dieron las gracias al doctor, y la enfermera separó suavemente al niño del pecho de su madre. Cuando hubieron salido, Michael tomó la mano de Rhea. Como todos los padres, habían esperado que su hijo fuera perfecto. Ahora se enfrentaban a lo desconocido y, juntos, lloraron en silencio. ¿Cómo podría Rhea volver al trabajo al cabo de seis semanas? ¿Cómo podría dejar a su hijo con otra persona? Él la iba a necesitar. ¿Cuánto tiempo duraría el proceso de curación?

—Por lo menos, el médico ha dicho que podrá caminar. —le dijo Michael a su esposa mientras le acariciaba el cabello—. Recemos pidiendo orientación.

Era tarde. Michael se acurrucó en la silla para dormir algunas horas más. Rhea estaba exhausta. Antes de dormirse, rogó a Dios que la ayudara.

Aquella noche, soñó. Una mujer ya familiar, con el cabello oscuro y lacio, y largo hasta los hombros, estaba de pie entre las brumas a cierta distancia. Vestía una túnica de color marfileño que le llegaba hasta los pies y, al acercarse a ella, Rhea vio que la mujer le ofrecía un niño. Al tomarlo en brazos, reconoció en él los latidos de su propio corazón. Era su hijo.

—Es un regalo para ti, Rhea. —dijo la mujer. La empatía y el amor brillaban en sus ojos—. Ha venido a ti para cumplir una promesa. Si te entregas al amor que sientes por él, la alegría que se creará entre vosotros te guiará algún día fuera de este mundo. —Una afable y enigmática sonrisa apareció en su rostro—. Algún día, te ayudará a encontrar la cueva, Rhea.

La imagen de la mujer empezó a desaparecer entre las brumas, pero su voz aún se oía desde el otro lado de las vaporosas neblinas...

—Entrégate a tu amor, Rhea, y tu amor te llevará hasta tu hogar...

A la mañana siguiente, Rhea despertó tranquila. Llamó a Michael a su lado y le contó su sueño. Le habló de la hermosa criatura que, dos veces a lo largo de su vida, le había salido al encuentro con un mensaje. Michael escuchó con atención las alentadoras palabras de la mujer a medida que Rhea se las iba repitiendo. Se mostró amable y compasivo, y ambos acordaron seguir el consejo ofrecido en sueños.

El doctor regresó algo más tarde con la radiografía en la mano. Tenía el rostro tenso. Dijo que sería un caso difícil. Que tendrían que operarlo y escayolarlo. Michael y Rhea se dieron la mano. El sueño les había dado fuerzas.

—El tiempo dirá —murmuró Michael.

Rhea pidió que le trajeran a su hijo y así lo hizo la enfermera.

—Mi precioso niño —susurraba Rhea, sosteniéndolo entre sus brazos—. Has nacido herido, pero sabremos superarlo. Algún día serás como un ángel, hijo mío.

—¿Se han decidido por algún nombre? —preguntó la enfermera.

—Zendar —le respondió en voz baja—. Se llamará Zendar...

Colección Nueva Espiritualidad